LISE BOURBEAU

Lise Bourbeau, née en 1941, est fondatrice de l'école de développement personnel « Écoute Ton Corps », créée au Québec en 1982. Son enseignement pratique et la philosophie simple qu'elle transmet aident des milliers de personnes à travers le monde à apporter des changements concrets dans leur quotidien. Reconnue comme enseignante et philosophe, elle est une conférencière très sollicitée par tous ceux qui aspirent à connaître une meilleure qualité de vie. En 1987, elle écrit son premier livre intitulé *Écoute Ton Corps, ton plus grand ami sur la Terre*, et fonde sa propre maison d'édition, les Éditions E.T.C. Les livres de Lise Bourbeau se sont vendus à plus de 4,5 millions d'exemplaires. Ils sont traduits en 20 langues.

L'École de Vie Écoute Ton Corps est la plus grande école de développement personnel au Québec. Son enseignement est diffusé dans 28 pays.

Pour plus d'informations au sujet de Lise Bourbeau, consultez : www.ecoutetoncorps.com

ÉVOLUTION
Des livres pour vous faciliter la vie !

Harvard Business Review
Réveillez le leader qui est en vous
Dix leçons infaillibles pour progresser, s'imposer et manager ses équipes

Harvard Business Review
L'Essentiel pour convaincre

Bernadette DE GASQUET
Le Yoga à tout âge
La méthode de Gasquet pour les plus de 50 ans

Fabrice MIDAL
Et si de l'amour on ne savait rien ?

Habib SADEGHI
Détox émotionnelle
La cure détox du mental et de l'émotionnel pour retrouver la santé et
s'épanouir en 12 étapes

Elle LUNA, Susie HERRICK
*Manuel de défense à l'usage des jeunes femmes qui veulent
se libérer des stéréotypes*

Tara SWART
La Source
Comprendre la loi de l'attraction pour atteindre enfin vos objectifs

Anne Clotilde ZIÉGLER
Pervers narcissiques
50 scènes du quotidien pas si anodines pour les démasquer et leur faire
face

Harvard Business Review
Cultivez votre intelligence émotionnelle

Hal ELROD
L'Équation du miracle
Transformer le possible en certitude

Stop au contrôle

Lise Bourbeau

Stop au contrôle

Et si votre relation à la nourriture vous
permettait de mieux vous connaître?

Éditions E.T.C. INC

Cet ouvrage a précédemment paru sous le titre :
Écoute et mange. Stop au contrôle !

Pocket, une marque d'Univers Poche,
est un éditeur qui s'engage pour la préservation
de l'environnement et qui utilise du papier fabriqué
à partir de bois provenant de forêts gérées
de manière responsable.

© 2009, Lise Bourbeau
© Éditions Écoute Ton Corps
ISBN 978-2-266-29502-4
Dépôt légal : janvier 2019

Sommaire

CHAPITRE TROIS

CHAPITRE QUATRE

CHAPITRE CINQ

CHAPITRE SIX

CHAPITRE SEPT

CONCLUSION

Remerciements

Il m'est très difficile de seulement remercier quelques personnes pour l'objet de ce livre. Ma passion pour ce sujet m'a incitée à faire de la recherche depuis près de trente ans. J'ai recueilli d'innombrables témoignages provenant de personnes de différents pays, diverses cultures et de tous âges, autant dans ma vie personnelle que professionnelle.

Je me suis documentée à plusieurs sources et j'ai surtout réalisé une synthèse à partir de mes expériences personnelles, ainsi que de celles de nombreuses autres personnes. Merci à vous tous qui m'avez aidée, bien souvent d'une façon involontaire ou inconsciente.

Cependant, je veux remercier tous ceux qui ont contribué à la matérialisation de cet ouvrage. L'idée de ce livre m'a d'abord été proposée avec grand enthousiasme par deux organisateurs d'ateliers en Suisse allemande (Stella et David, merci !). Quand je leur ai rapporté ce que j'avais appris depuis de nombreuses années grâce à mon alimentation, de même que la synthèse que j'avais réalisée à ce sujet, ils se sont empressés de m'inciter à écrire ce livre plus rapidement. Ils m'ont fait prendre conscience que je recevais cette demande depuis un certain temps déjà, sans toutefois y avoir porté une attention particulière.

Je tiens à remercier mes deux correctrices qui ont exécuté un excellent travail de soutien, Micheline St-Jacques et Nathalie Thériault.

Un grand merci à Jean-Pierre Gagnon, le directeur de ma maison d'édition, pour sa précieuse collaboration et son excellent travail à la réalisation de ce livre.

Merci infiniment à Monica Shields, ma fille et la directrice de l'école ÉCOUTE TON CORPS INTERNATIONAL pour ses excellentes suggestions suite à la lecture du premier jet de l'ouvrage. Je la remercie, de plus, pour sa créativité remarquable dans le montage de la couverture ainsi que la mise en page du livre.

Lise Bourbeau

Introduction

Me voilà, vingt-sept ans après avoir fondé mon école de vie Écoute Ton Corps, ayant le plaisir de m'entretenir avec vous de tout ce que nous pouvons apprendre sur nous-mêmes à travers notre alimentation. Un an avant de démarrer mon école, en 1981, il m'est venu l'idée de noter tout ce que je mangeais et ce que je buvais, croyant que mon alimentation était la cause de ma prise de poids (10 kilos). À cette période, j'étais loin de réaliser que cette décision allait complètement transformer ma vie. Ce fut une expérience inoubliable, et surtout, l'élément déclencheur pour passer du monde mental au monde spirituel.

En effet, durant les quinze années précédant Écoute Ton Corps, la dimension mentale était très importante pour moi. Comme j'étais dans le domaine de la vente, j'ai été largement encouragée par mes supérieurs à m'intéresser à la pensée positive. Il semblait, à cette époque, que c'était un critère très important de réussite dans le domaine commercial. J'avais donc pris l'habitude de faire du conditionnement mental au moindre petit problème que je rencontrais. Malgré les bons résultats obtenus par cette programmation, je ne réalisais pas que c'était continuellement à recommencer. En fait, je ne me rendais pas directement au cœur du problème. J'arrivais tout au plus à le contrôler, grâce à mes programmations mentales.

Dans les mois qui ont suivi cette décision de noter tout ce que je mangeais et buvais chaque jour, je suis revenue à mon poids initial, naturel, sans contrôle de ma part. J'ai découvert que tout ce que j'avais appris sur moi s'avérait beaucoup plus important que la solution du problème à mon poids. J'étais enfin devenue consciente de l'être que j'étais, ainsi que de plusieurs de mes peurs et croyances, grâce à l'étude de ma façon de m'alimenter. Un autre très beau cadeau de cette recherche à travers mon alimentation fut de constater, dans les mois qui suivirent ce travail, la disparition de nombreux malaises qui m'habitaient depuis plusieurs années.

C'est à ce moment que j'ai réalisé que le fait d'écouter mes besoins alimentaires – d'ordre physique –, me donnait la possibilité d'écouter en même temps mes besoins d'ordre émotionnel et mental. J'ai découvert que nous ne pouvions pas dissocier les trois corps, et que lorsqu'un travail s'effectue sur un des corps, cela influe automatiquement sur les deux autres. Voilà pourquoi mes malaises ont disparu. Ce fut le point de départ de mon école de vie ÉCOUTE TON CORPS.

Vingt-sept ans plus tard, j'ai donc décidé d'écrire ce livre, à la demande de plus en plus croissante de participants aux ateliers d'Écoute Ton Corps et pour le bénéfice des nombreux lecteurs. Tu y trouveras tout ce que j'ai appris à travers mon expérience ainsi que celle de plusieurs personnes qui s'y sont jointes également et qui m'ont fait part de leurs résultats.

À titre informatif, je souhaite mentionner que je continue à tutoyer mes lecteurs, ce qui m'aide à établir une communication plus intime et plus concernée.

Je précise que ce livre n'a pas pour but de t'aider à t'alimenter selon certains critères de « bonne alimentation ». Il y a une panoplie de très bons livres à ce sujet. Mes objectifs sont plutôt de t'aider à :

▶ découvrir quelle est ta façon de te contrôler et à quel degré ;

▶ devenir plus conscient de la façon dont tu t'alimentes ;

▶ faire le lien entre ton alimentation et ce que tu vis aux plans émotionnel, mental et spirituel ;

▶ découvrir pourquoi il est si difficile d'écouter tes vrais besoins ;

▶ reconnaître rapidement les blessures qui t'empêchent de bien te nourrir, autant au plan physique qu'au plan psychologique ;

▶ comment parvenir à écouter systématiquement les besoins de ton corps avant de t'alimenter ;

▶ t'aimer et t'accepter dans ton corps physique, et surtout, dans ce que tu es à chaque instant.

Bonne lecture !

Lise Bourbeau

CHAPITRE UN

Pourquoi y a-t-il autant de contrôle ?

Une personne qui ne se contrôle pas dans sa vie se permet d'être elle-même, que ce soit à travers l'aspect négatif ou l'aspect positif. Elle ne se juge pas. Elle ne s'accuse pas. Elle s'accepte dans ce qu'elle est, à chaque instant de sa vie de tous les jours.

Sa façon de vivre se reflète simultanément dans ses corps mental, émotionnel et physique. Comme ce dernier est un corps plus tangible, plus conscient et plus visible, il est le corps par excellence auquel on peut se fier pour vérifier et apprendre ce qui se passe dans les deux autres corps, qui eux s'avèrent plus subtils.

Le contrôle que nous exerçons tous à divers degrés et à travers différentes situations commence au plan psychologique. Comme nous ne pouvons dissocier nos trois corps qui forment notre enveloppe matérielle, ce contrôle – mental ou émotionnel – se reflète aussitôt dans notre monde physique, dont l'alimentation. Lorsque tu te prives de chocolat, par exemple, tu crois peut-être que ce contrôle est seulement d'ordre physique ! Mais détrompe-toi. Il est beaucoup plus que physique ; il se passe en même temps sur les autres plans.

Voilà donc l'objectif des deux premiers chapitres de ce livre : devenir conscient des différents moyens de contrôle que tu utilises ainsi que leur influence sur ton alimentation.

Qu'est-ce que le contrôle ?

Se contrôler ou vouloir contrôler les autres, c'est surveiller, être aux aguets. En somme, c'est vouloir dominer, c'est laisser notre ego gagner à tout prix. En effet, c'est notre ego qui entretient toutes nos peurs et qui nous fait agir et réagir en fonction de ce qu'il croit, en étant certain qu'ainsi, ce sera mieux pour nous. Hélas, notre ego ignore qu'à chaque fois que c'est une peur qui nous dirige, nous ne sommes plus nous-mêmes, nous n'écoutons plus nos vrais besoins. Comme il a été créé, existe et survit grâce à notre énergie mentale, il n'est composé que de mémoire. En l'occurrence, il ne peut vivre que dans le passé. Il lui est impossible de connaître les besoins de notre être dans le présent.

Voilà pourquoi il est si important de devenir conscients de ce qui dirige notre vie ainsi que des instants où nous sommes dans le contrôle. En outre, le moyen de contrôle utilisé nous aide à devenir conscients d'une de nos blessures.

Lien entre le contrôle et les blessures

J'ai donc choisi d'énumérer les moyens de contrôle utilisés, selon la blessure qui est activée. Pour ceux qui ne sont pas familiers avec les cinq blessures principales de l'âme qui sont enseignées à l'école Écoute Ton Corps, les voici : le REJET, l'ABANDON, l'HUMI-LIATION, la TRAHISON et l'INJUSTICE. Chaque blessure est associée à différentes façons de se contrôler ou de contrôler les autres.

À chaque fois que ta vie ne se déroule pas dans la joie, le bonheur, la paix, l'harmonie, ce qui veut dire que chaque émotion, chaque peur, chaque malaise ou maladie, chaque problème vécu, autant du point de vue physique qu'émotionnel et mental, sont une indication qu'une de tes blessures a été activée et que tu es en réaction. Tu n'es plus toi-même, cette blessure touchée du doigt te fait alors porter un masque qui est différent pour chaque blessure. Nous portons ce masque, croyant ainsi être protégé de la douleur associée à la blessure. Pour en savoir plus sur ces masques et sur les blessures en général, tu es prié de te référer à mon livre[1] à ce sujet.

Je te rappelle que nous naissons tous avec la plupart de ces cinq blessures, mais à différents degrés. Ce sont ces dernières qui empêchent l'âme de retourner à la fusion avec l'esprit, à l'harmonie totale de l'être. Voilà pourquoi nous nous réincarnons sans cesse : pour en prendre conscience afin de leur permettre de guérir, nous aidant ainsi à redevenir nous-mêmes. Ces blessures sont éveillées en premier par nos parents – ou toute personne qui a joué le rôle de parent –, à partir de la conception, jusqu'à l'âge de sept ans. Par la suite, elles sont activées par toute personne qui te rappelle

---

1. *Les 5 blessures qui empêchent d'être soi-même*, Les Éditions ETC 1999 ; Pocket, n° 15171.

un événement quelconque, vécu avec un de tes parents ou ceux qui les ont remplacés.

En effet, lorsque nous réagissons à cause d'une ou de plusieurs blessures mises au jour, nous ne sommes plus nous-mêmes ; nous n'écoutons plus nos vrais besoins, nous sommes donc dans le contrôle. Une croyance associée à la blessure activée nous influence à agir en fonction d'une peur, plutôt que d'être à l'écoute de nos besoins.

Je te rappelle que **chaque peur est toujours une peur pour toi. Quand tu es convaincu que tu as peur pour quelqu'un d'autre, sache que la vraie peur est celle que tu vis pour toi, dans l'optique où ce que tu crains pour l'autre se manifesterait.**

Quand nous croyons avoir peur pour l'autre, c'est notre ego qui nous joue un tour pour que nous évitions de devenir conscients de la cause véritable du problème. Voici un exemple d'une telle situation. J'ai connu un couple dont l'épouse ne cessait de rappeler à son conjoint ce qu'il devait manger, quand manger et quand s'arrêter. Il souffrait de diabète et d'embonpoint. Elle contrôlait, en plus, ses médicaments. Un jour, mon mari et moi les avons rencontrés au restaurant, alors qu'ils revenaient tous les deux d'une cure dans un centre de remise en forme pour se libérer de plusieurs kilos. C'était leur premier « vrai » repas depuis deux semaines. Quand elle l'a vu boire du vin, elle a commencé à lui faire les gros yeux (contrôle non verbal). Ensuite, elle a retiré la corbeille de pain et l'a placée le plus loin possible de lui. Elle a fait la même chose avec le beurre (contrôle au plan physique). Elle n'osait pas dire à haute voix ce qu'elle pensait (contrôle au plan mental), mais il était facile de sentir la colère (plan émotionnel) qu'elle retenait à l'intérieur d'elle.

Ce qui semblait la déranger le plus, c'est que son mari savourait à cœur joie tout ce qu'il mangeait et buvait, et qu'il faisait semblant de ne s'apercevoir de rien. Finalement, au moment du dessert, il demande deux boules de glace avec de la crème Chantilly. C'est alors qu'elle a éclaté et s'est mise à lui crier en plein restaurant qu'il était idiot, inconscient… et je vous épargne la suite. Elle lui a surtout rappelé l'importante somme d'argent qu'il venait de dépenser pour sa cure, et tout cela pour rien, ajouta-t-elle, furieuse.

Peu après, alors que j'étais seule avec elle, je lui ai demandé pourquoi elle éprouvait autant de colère. De toute évidence, c'était parce qu'elle ne parvenait pas à contrôler son mari, au même degré qu'elle se contrôlait elle-même. Elle finit par m'avouer sa grande peur de perdre son mari, si celui-ci continuait à faire autant d'excès. Comme je savais qu'elle ne me parlait pas de sa véritable peur, j'ai continué à lui poser des questions, jusqu'à ce que j'apprenne la nature exacte de sa peur individuelle, si son mari venait à décéder.

Ainsi, j'ai appris que son premier conjoint s'alimentait très mal. C'était un homme d'affaires toujours sur la route, et ce dernier était mort d'une crise cardiaque. Plusieurs années plus tard, elle se sentait encore coupable de l'incident. Elle était persuadée que, si elle s'était occupée davantage de l'alimentation de son mari, elle aurait pu éviter qu'il en meure. La simple pensée d'avoir sur la conscience le décès d'un deuxième conjoint l'angoissait à un point tel qu'elle en était devenue obsédée.

Le contrôle, la peur, la croyance et la blessure

Comme tu peux le constater, on remarque dans cet exemple le contrôle, la peur et la croyance. Voilà une indication qu'une blessure a été activée. Dans son cas, on peut constater deux blessures, soit l'injustice et la trahison. La personne qui souffre d'injustice recherche la perfection dans tout. En conséquence, cette dame s'en veut de ne pas avoir été l'épouse parfaite avec son premier conjoint et fait tout pour se reprendre avec le deuxième. Elle porte donc le masque du « rigide ». Celle qui souffre de trahison, pour sa part, a de la difficulté à faire confiance. Dans ce cas, elle en veut à son mari de ne pas lui faire confiance, de ne pas apprécier tout ce qu'elle fait pour lui. Cette dame porte donc le masque du « contrôlant ».

Cette dernière qui a cessé d'être elle-même, et surtout d'écouter son besoin de savourer un bon repas en compagnie de son mari et d'amis, a réagi automatiquement. Elle s'est retrouvée dans le contrôle, ce qui est une indication qu'elle portait les masques associés à ses blessures.

L'activation d'une blessure

Quand je parle d'une blessure activée, je veux dire que nos blessures sont continuellement présentes au fond de nous, mais que celles-ci ne sont pas toujours activées. Elles le deviennent quand une autre personne vient les réveiller et, de ce fait, nous voilà en réaction.

Il se peut aussi qu'une de tes blessures soit activée sans qu'il n'y ait personne autour de toi lorsque cela se produit. Par exemple, tu es seul chez toi ; tu préférerais paresser quelques heures et, tout à coup, une petite voix dans ta tête te dit que tu n'as pas le droit d'être paresseux, que c'est honteux. Même si tu es seul, la peur qui t'envahit est occasionnée par une croyance acquise dans ta jeunesse, en général d'un de tes parents. Cette peur d'être jugé en tant que paresseux continue de t'habiter et t'incite à l'action plutôt qu'à la paresse, et ce par peur d'être pris en flagrant délit de paresse ou par peur que quelqu'un n'apprenne que tu es parfois paresseux. Donc, une blessure est toujours activée par la peur de quelqu'un, de même que par la croyance entretenue, dans le but d'éviter la concrétisation de cette peur.

Je connais même des personnes qui continuent de craindre leurs parents décédés. Quand ils osent être ou agir de façon contraire à ce que leurs parents croyaient, on peut tout de suite déceler leur peur et leur culpabilité lorsqu'ils disent : *Si ma mère me voyait à cet instant, elle se retournerait dans sa tombe.*

Chaque blessure peut être activée de trois façons, souvent de manière très inconsciente : 1) peur d'être blessé par l'autre ; 2) peur de blesser l'autre ; 3) le fait de se blesser soi-même.

On peut parler de contrôle, non seulement quand nous nous abstenons de faire ou d'être d'une certaine façon, mais aussi toutes les fois où nous n'avons pas réussi à nous contrôler. Aussi, en nous sentant très coupables, nous nous en voulons de n'avoir pas pu nous contrôler.

La grande majorité du temps, la plupart d'entre nous ne sommes même pas conscients qu'une blessure est activée. C'est surtout notre réaction face à la situation ou à la personne qui peut nous l'indiquer. Toutes les façons de se contrôler indiquées dans ce chapitre sont une réaction et non une action volontaire. Tu verras dans le chapitre suivant comment ces réactions influencent la façon dont tu t'alimentes. Tu découvriras ainsi une autre façon de devenir conscient qu'une blessure a été activée.

Voici donc les façons de te contrôler, selon la blessure activée.

La blessure de rejet

Commençons avec la blessure de REJET. Comment te contrôles-tu quand tu as peur d'être rejeté, peur de rejeter quelqu'un d'autre ou quand tu te rejettes toi-même ?

▶ Quand tu rumines sans cesse parce que tu es obsédé par quelque chose à faire ou à dire qui te crée de la peur ou par quelque chose que tu as entendu à ton sujet et qui a touché ou ravivé ta blessure ;

▶ Quand tu souffres d'insomnie à cause d'un trop-plein d'activités mentales ;

▶ Quand tu fuis une situation en t'esquivant rapidement de l'endroit où tu te trouves ou en partant en astral (dans la lune) ;

▶ Quand tu nies une situation, ne veux pas la voir dans sa réalité. Ça peut être de t'imaginer que la personne ou la situation ne t'a pas du tout dérangé, touché, ému, fait éprouver des émotions. Ce genre de contrôle est en général inconscient.

On doit demander à nos proches de nous aider à découvrir à quel moment nous fuyons en niant ;

▶ Quand tu nies la véracité, la pertinence d'un compliment, en croyant que si cette personne te connaissait vraiment, elle ne te l'aurait jamais fait ;

▶ Quand tu as honte d'ÊTRE ce que tu es et que tu ne veux surtout pas être découvert ;

▶ Quand tu te fermes, te retiens de dire ou de faire quelque chose par peur que l'autre ne t'aime plus, cesse de t'apprécier.

Un point important à se rappeler au sujet de la blessure de REJET : celle-ci est toujours activée par la peur au niveau de l'ÊTRE et non au niveau du FAIRE et de l'AVOIR. Par exemple, si tu as à parler ou à faire quelque chose devant un public, il se peut que tu te prépares outre mesure et que tu n'en dormes pas. Ta peur véritable n'est pas de mal faire les choses, mais plutôt d'être considéré comme NUL si tu ne le fais pas à la perfection, selon les attentes des autres et, surtout, conformément à tes propres attentes, la plupart du temps irréalistes.

Si tu fais partie de cette catégorie de personnes, il est fort probable que tu te contrôles dans ce que tu fais et dis, surtout pour être aimé et pour te sentir accepté tel que tu es, au lieu d'être considéré comme nul.

La blessure d'abandon

Maintenant, passons au comportement de contrôle adopté lorsque tu as peur d'être abandonné, peur d'abandonner quelqu'un d'autre ou lorsque tu t'abandonnes toi-même.

▶ Quand tu fais semblant d'être gai, enjoué, heureux pour plaire à un conjoint ;

▶ Quand tu te soumets aux besoins des autres, t'imaginant ainsi que ça te rend heureux ;

▶ Quand tu pleures pour arriver à tes fins en vue d'avoir de l'attention ;

▶ Quand tu utilises un ton pleurnichard pour faire tes demandes ou partager ton mécontentement ;

▶ Quand tu déranges sans cesse les autres pour obtenir de l'attention ;

▶ Quand tu joues à la victime, c'est-à-dire que tu t'attires inconsciemment des problèmes ;

▶ Quand tu racontes ce qui t'arrive d'une façon dramatique, avec exagération ;

▶ Quand tu profites d'une maladie pour manipuler l'autre, afin qu'il s'occupe de toi ;

▶ Quand tu n'écoutes pas tes besoins, par peur que l'autre personne pense ou croie que tu l'abandonnes, la laisse tomber ;

▶ Quand tu commences quelque chose et que tu renonces, baisses les bras, avant d'être parvenu à ton but, accusant bien souvent (et faussement) la personne qui aurait dû te soutenir, selon toi ;

▶ Quand tu tournes en rond lorsque tu es seul, que tu n'arrives pas à t'intéresser à quelque chose ;

▶ Quand tu as besoin de raconter tout ce qui t'arrive – au téléphone ou en personne – à quelqu'un ;

- ▶ Quand tu te crois incapable de faire face à la mort imminente d'un être cher ;
- ▶ Quand tu endures n'importe quoi, par peur d'être abandonné, en général par un conjoint ou un enfant ;
- ▶ Quand tu ne peux te décider à terminer une relation par peur de te retrouver seul, même en sachant que ce serait mieux pour toi ;
- ▶ Quand tu demandes de te faire aider, avant même d'avoir vérifié si tu peux le faire par toi-même ;
- ▶ Quand tu interromps une autre personne pour parler de tes propres problèmes ;
- ▶ Quand tu crois que tes difficultés sont beaucoup plus importantes que celles des autres.

La blessure d'humiliation

Si tu souffres d'humiliation, voici les comportements de contrôle les plus fréquemment utilisés quand tu as peur d'humilier une autre personne, peur d'être humilié ou lorsque tu t'humilies toi-même :

- ▶ Quand tu laisses une autre personne te rabaisser physiquement ou psychologiquement, sans rien dire ;
- ▶ Quand tu t'obliges à offrir de l'aide à une personne en difficulté, en oubliant tes propres besoins ;
- ▶ Quand tu t'empêches de dire quoi que ce soit de négatif au sujet d'une autre personne ;
- ▶ Quand tu retiens tes pulsions physiques, croyant que Dieu voit tout, qu'Il t'a à l'œil ;

- ▶ Quand tu te traites de malpropre, d'indigne, de sale ;

- ▶ Quand tu es dégoûté de toi-même ;

- ▶ Quand tu fais rire les autres à ton détriment, en t'humiliant ;

- ▶ Quand tu retournes un compliment à l'autre, te croyant indigne de le recevoir et surtout en étant persuadé que l'autre en est plus digne, le mérite davantage que toi ;

- ▶ Quand tu fais tout pour être irréprochable aux yeux de Dieu ;

- ▶ Quand tu crois que tu dois alléger la souffrance des autres, de l'humanité ;

- ▶ Quand tu fais passer les autres avant toi, croyant qu'ils souffrent plus que toi ;

- ▶ Quand tu te retiens d'avoir du plaisir sensuel, par peur de passer pour dépravé ;

- ▶ Quand tu t'empêches de te faire plaisir au plan physique, par peur d'être perçu comme un égoïste.

La blessure de trahison

Maintenant, passons à la blessure de TRAHISON, qui est celle qui nous pousse le plus à vouloir contrôler les autres. Voici les différents moyens de contrôle utilisés, lorsque tu as peur d'être trahi par une autre personne ou de trahir quelqu'un. N'oublie pas que ce que tu fais aux autres, tu te le fais à toi-même.

Je te rappelle qu'on peut souffrir de trahison à chaque fois que la confiance se trouve bafouée, qu'il y a un mensonge, une promesse non tenue, de la lâcheté, un manque de responsabilité. De plus, toutes les formes de contrôle suivantes doivent être vécues avec quelqu'un du sexe opposé.

► Quand tu cherches à avoir le dernier mot ;

► Quand tu mens ;

► Quand tu interromps l'autre avant qu'il ait terminé de dire ce qu'il a à dire ;

► Quand tu sautes aux conclusions avant que l'autre ait terminé ;

► Quand tu gardes rancune et te renfermes, ne veux plus parler à l'autre ;

► Quand tu parles fort, prenant toute la place dans une rencontre ;

► Quand tu t'empêches de faire confiance à l'autre, car tu te méfies, tu doutes de cette personne ;

► Quand tu fais tout pour être reconnu en tant que personne spéciale, forte, capable ;

► Quand tu as des attentes sans qu'il y ait eu une entente claire au préalable ;

► Quand tu t'impatientes parce que l'autre ne va pas assez vite ;

► Quand tu te mets en colère parce que ça ne se réalise pas selon tes plans ;

► Quand tu insistes pour que l'autre soit d'accord avec toi, adhère à tes idées ;

► Quand tu utilises une forme de séduction pour arriver à tes fins ;

▶ Quand tu culpabilises l'autre pour l'un de tes propres oublis, erreurs ou trahisons ;

▶ Quand tu surveilles l'autre pour qu'il effectue ses tâches à ta manière ;

▶ Quand tu fais une demande à l'autre et que, d'emblée, tu ne lui fais pas confiance, tu doutes intérieurement de sa façon de le faire ;

▶ Quand tu refuses de t'engager face à l'autre ;

▶ Quand tu ne prends pas tes responsabilités, que tu veux que l'autre endosse ton erreur, ton oubli ;

▶ Quand tu ridiculises l'autre pour tenter de le faire changer ;

▶ Quand tu refuses systématiquement le conseil de l'autre ;

▶ Quand tu cherches à intimider l'autre ;

▶ Quand tu boudes pour arriver à tes fins, pour obtenir ce que tu veux ;

▶ Quand tu cries ou menaces l'autre ;

▶ Quand tu cherches à imposer ta façon de faire ;

▶ Quand tu prends une décision pour l'autre sans lui demander son avis.

La blessure d'injustice

Je termine avec la blessure d'injustice, laquelle est vécue par ceux qui sont trop perfectionnistes et qui s'accusent facilement. Les moyens de contrôle suivants sont utilisés avec soi-même et avec les personnes du même sexe. Voici donc ci-dessous les aspects de ton comportement, lorsque tu as peur qu'une autre personne soit injuste envers toi ou que tu as peur d'être injuste (ou imparfait) face aux autres et à toi-même :

► Quand tu ne respectes pas tes limites et que tu t'en demandes trop ;

► Quand tu fais semblant que tout va bien alors que ce n'est pas le cas ;

► Quand tu te justifies en déformant souvent la réalité ;

► Quand tu refuses de te faire aider, croyant que ce sera mieux accompli par toi ;

► Quand tu te retiens pour démontrer tes sentiments ;

► Quand tu refoules tes larmes ou te caches pour pleurer ;

► Quand tu juges l'autre trop sensible ;

► Quand tu t'interdis de prendre un médicament ou de consulter un médecin ;

► Quand tu vérifies plusieurs fois ce que tu viens de faire ;

► Quand tu recommences la même tâche à maintes reprises ;

► Quand tu interromps l'autre, jugeant que ses propos ne sont pas justes ;

► Quand tu cherches à te faire dire que ce que tu viens d'accomplir est parfait ;

► Quand tu veux avoir une solution rapide, sur-le-champ, pour un problème, avant d'en avoir pris la mesure ou d'en trouver la cause ;

► Quand tu juges ou accuses l'autre d'avoir mal agi ;

▶ Quand tu veux avoir raison, estimant que tu as la réponse juste ;

▶ Quand tu ressens de la colère, croyant une situation injustifiée ;

▶ Quand tu te critiques sévèrement, pensant ainsi que tu vas t'améliorer ;

▶ Quand tu t'autodétruis, te sous-estimes au moment de réussir quelque chose ;

▶ Quand tu refuses de recevoir quoi que ce soit de l'autre, par peur de contracter une dettes vis-à-vis de cette personne ;

▶ Quand tu dis oui, alors que tu veux dire non, par peur d'être injuste, insensible ;

▶ Quand tu te prives de t'accorder un plaisir, croyant ne pas le mériter ;

▶ Quand tu te forces à sourire ou à rire ;

▶ Quand tu ne peux arrêter de travailler, par peur de passer pour paresseux ;

▶ Quand tu te raisonnes, alors que tu veux autre chose, au lieu d'écouter ton cœur ;

▶ Quand tu culpabilises l'autre de ne pas se prendre en main ;

▶ Quand tu te retiens d'afficher ta colère ;

▶ Quand tu ne te permets pas d'être heureux, si une personne proche ne l'est pas.

Il est possible que ce soit plus difficile de reconnaître les comportements de contrôle des deux dernières blessures, car l'ego du contrôlant et du rigide est plus élevé. Ce sont deux blessures de force qui induisent des réactions plus rapides et plus intenses. Plus notre ego est fort et plus il a le pouvoir de nous faire croire ce qu'il veut, comme par exemple que c'est nous qui avons raison et l'autre qui a tort.

Devenir conscient du degré de contrôle

Je te suggère fortement de prendre le temps de relire plus d'une fois tous ces moyens de contrôle, afin de mieux faire le lien par la suite avec le chapitre II. Voici comment procéder. Note les moyens que tu utilises, avec quelle personne (enfant, conjoint, famille, amis) et dans quelles circonstances. Pour t'aider davantage, voici plusieurs domaines où le contrôle est utilisé :

▶ L'apparence physique ;

▶ L'habillement ;

▶ L'argent, le budget ;

▶ Les tâches à la maison, au travail ;

▶ Les sorties ou les loisirs, les vacances ;

▶ La sélection d'amis ;

▶ Les études ;

▶ Le choix de vie professionnelle ;

▶ Les marques d'attention, d'affection ;

▶ La sexualité ;

▶ L'attitude, le comportement ;

▶ La religion, le développement spirituel.

Rien ne t'empêche de vérifier avec tes proches dans quel comportement de contrôle ceux-ci te voient.

Toutefois, il faut une certaine dose d'humilité pour effectuer ce genre de démarche. Mais si tu es en train de lire ce livre, j'en déduis que tu veux te prendre en main pour améliorer ta qualité de vie.

Par ailleurs, si tu veux aller encore plus loin, prends le temps de vérifier, dans chaque situation, de quelle nature sont les accusations ou jugements que tu portes envers les autres et envers toi-même. Par la suite, tu pourrais éventuellement tenter de cerner la peur que tu vis pour toi. Je reviendrai sur ce genre de rétrospective au dernier chapitre.

Tu verras à quel point cela peut t'être utile de savoir quel contrôle tu cherches à exercer dans ta vie, lequel se reflète dans ta perte ou la recherche de contrôle au niveau de l'alimentation. Voyons maintenant le lien entre ta façon de t'alimenter et l'une de tes blessures activées.

CHAPITRE DEUX

Le lien entre le contrôle
et l'alimentation

J'ai indiqué dans le chapitre précédent que nos blessures sont réveillées dès la naissance par nos parents ainsi que tous ceux qui en assument le rôle, et ce, durant les sept premières années de notre vie. Par la suite, chaque fois qu'une blessure est activée par qui que ce soit, ce n'est qu'une répétition de ce qui s'est déjà passé auparavant, mais dont nous ne sommes pas conscients.

Prenons l'exemple d'une petite fille qui s'est sentie rejetée dès la naissance, parce que sa mère était déçue de ne pas avoir eu un garçon. Sa blessure de rejet a donc été éveillée dès la naissance, et de façon plus que probable à l'état fœtal. Par la suite, quoi que fasse ou dise sa mère, il y a de fortes chances que la petite fille, l'adolescente et plus tard la jeune femme, interprète mal le comportement de sa mère. En effet, il est très important de se souvenir que ce n'est pas ce que fait une autre personne qui est la cause de notre souffrance, mais bien notre réaction influencée par l'une de nos blessures qui nous fait souffrir.

Cela explique pourquoi il arrive fréquemment que, même si un parent agit de la même façon avec deux de ses enfants, ces derniers peuvent le vivre très différemment en raison de leurs différentes blessures.

L'influence du comportement de la mère

Par contre, quand il est question de l'alimentation, c'est surtout l'influence de la maman, ou celle qui en a assumé le rôle dans les sept premières années, qui a été la plus importante. Pourquoi ? Parce que la mère est symbolique de notre mère, la planète Terre, et notre père est symbolique de notre père, le Soleil. La Terre – aussi appelée mère nourricière – nous nourrit avec tout ce qui pousse. Elle pourvoit à notre alimentation de base. Dans l'ordre des choses, la mère est aussi celle qui doit nous nourrir intérieurement, c'est-à-dire nous aider à nous sentir bien. Le rôle du père, quant à lui, est de nous aider à utiliser notre énergie pour créer, pour passer à l'action, pour s'occuper de nos besoins d'ordre matériel.

Dès la naissance, le bébé a besoin du lait de sa maman. C'est la chose la plus naturelle au monde que de voir un bébé qui vient de naître – il en est de même chez les animaux – chercher tout de suite à téter. Il cherche le mamelon de sa maman. C'est pourquoi il est si important pour une maman de donner le sein à son bébé. Même si elle ne peut le faire sur une longue période, les premières semaines sont cruciales pour débuter et préparer la vie de cet enfant, dans l'ordre des choses.

Pour les mamans qui ne peuvent allaiter leur bébé, ou qui refusent de le faire, lorsque celui-ci est de sexe féminin, cette expérience active grandement la blessure de rejet de l'enfant. Lorsque le bébé est de sexe masculin, c'est la blessure d'abandon qui est alors activée. J'explique clairement dans le livre sur les blessures pour quelle raison chacune d'entre elles est réveillée par un parent en particulier.

Je te rappelle que lorsqu'un enfant vit une certaine blessure avec son parent, celui-ci vit la même blessure de son côté même si, la plupart du temps, il en est inconscient. Nos enfants ont le don de venir éveiller en nous ce que nous n'avons pas encore réglé avec nos propres parents. Il arrive parfois que ce soit le bébé qui ne puisse digérer le lait de la maman ou qui refuse de prendre le sein. C'est en l'occurrence la blessure de rejet ou d'abandon de la maman qui est activée.

Dans l'exemple d'une maman qui ne peut allaiter sa fille, si cette dernière se sent rejetée, la blessure de rejet de la maman est aussi en activité. La maman, consciemment ou non, s'en veut de ne pouvoir allaiter son bébé. Il est fort possible qu'elle ait peur de nuire à son bébé et de ne pas se sentir aimée par celui-ci. Si elle cherche plus profondément en elle, elle découvrira sans doute qu'elle a vécu la même chose avec sa propre maman. Aussitôt qu'une quelconque émotion fait son apparition, il y a une blessure d'activée.

Parallèlement, le bébé qui refuse de se faire nourrir par sa mère risque davantage de souffrir d'anorexie plus tard. J'y reviendrai dans un autre chapitre.

Donc, le comportement et l'attitude intérieure de la maman, face à l'alimentation, influencent beaucoup l'enfant. Ce comportement, en général, sera inconscient de la part de la maman car celle-ci ne réalise pas qu'elle agit ainsi avec son enfant parce que celui-ci a besoin de ce genre de comportement pour devenir conscient de ses propres blessures. En effet, il n'y a aucun hasard dans la raison pour laquelle les parents agissent d'une certaine manière avec leurs enfants. Tout est déjà organisé dans le plan de vie de cette famille. Les parents agissent en conséquence de leurs blessures en relation avec celles des enfants, afin que tous ensemble puissent s'entraider à devenir plus conscients, pour arriver un jour à guérir leurs blessures.

On a pu constater que dès son plus jeune âge, quand le bébé pleure et que les parents ne savent pas trop quoi faire, ou quand ça les dérange, la mère décide d'introduire quelque chose – sucré de préférence – dans la bouche de l'enfant. Je dis « la mère » parce qu'en général c'est elle qui a le dernier mot sur la façon de nourrir l'enfant. Il est vrai qu'il y a toujours des exceptions à toutes les règles de ce monde, mais dans le cadre de ce livre, je m'en tiens à une règle générale de ce qui arrive la plupart du temps.

À une époque pas si lointaine, on donnait au nourrisson une sucette, souvent trempée dans le sucre ou le miel, ou une bouteille de jus ou autre liquide sucré, sans vraiment savoir si c'était bien ce dont celui-ci avait besoin. Avec le temps, cela devient une habitude et on continue d'agir et de se comporter de la même façon. L'enfant pleurniche, s'est fait mal, est turbulent, s'ennuie, est casse-pieds, on lui donne quelque chose à manger ou à boire – sucré de préférence. Alors que nous sommes encore très jeunes, nous apprenons à nous gaver de n'importe quoi, à la moindre émotion ou contrariété, excepté ce dont nous avons besoin. La grande majorité des gens ont donc appris à se consoler, à se donner de l'attention, à se récompenser avec quelque chose à se mettre sous la dent.

Voilà pourquoi chaque fois qu'une de tes blessures est activée, tu as du mal à savoir si tu as véritablement faim et, si oui, de quoi ton corps a besoin. Selon la blessure vécue à ce moment-là, tu es porté à manger et à boire de façon différente.

La blessure de rejet et l'alimentation
(Masque : fuyant)

Quand c'est la blessure de rejet qui est en cause et qui t'incite à te contrôler, il y a davantage de risques d'avoir l'appétit coupé, car on est le genre de personne à ruminer. Tu ne ressens plus rien, donc tu ne sens même pas que ton corps a besoin de nourriture. Par contre, si tu manges, tu seras surtout porté à prendre de petites portions, du bout de la fourchette, en n'étant pas très conscient de ce qui remplit ton assiette et en ne te délectant pas vraiment. Comme c'est le masque de fuyant qui apparaît avec cette blessure, fuir signifie donc ne plus être tout à fait présent face à ce qui se passe dans le monde physique.

Par conséquent, étant davantage intéressé par l'aspect du monde mental que par les choses reliées au monde physique, tu ne peux pas jouir pleinement de ta nourriture. L'aliment le plus utilisé pour fuir est le sucre, et ce, sous toutes ses formes, à défaut d'alcool ou de drogue. Par ailleurs, j'ai pu observer chez les personnes fuyantes que le sucre apporte très souvent un effet semblable à l'alcool.

Le fait de manger une grande quantité de sucre provoque un cercle vicieux dans ton corps et peut, en outre, devenir très nuisible. Ton corps, et principalement tes glandes surrénales, auront à travailler dur pour parvenir à assimiler et à éliminer ce sucre ; ton corps en sera affaibli et fatigué. Quand tu te sentiras en manque d'énergie, tu reprendras à nouveau du sucre, espérant recouvrer cette énergie perdue. Ce qui, par ailleurs, est un faux moyen, car celui-ci s'avère de très courte durée et, de ce fait, c'est toujours à recommencer.

Le fuyant est aussi celui qui va privilégier les aliments très épicés. C'est une autre façon de goûter à quelque chose et d'y trouver certaines sensations. Comme il ne peut vraiment goûter aux saveurs de chaque aliment, le fuyant se dit qu'au moins il goûte aux épices. Cela explique comment certaines personnes arrivent à manger aussi épicé, sans aucune réaction.

La blessure d'abandon et l'alimentation
(Masque : dépendant)

Quand c'est ta blessure d'abandon qui est activée et qui te porte à contrôler, le contraire se produit. Comme tu cherches l'amour à l'extérieur sous forme d'attention, d'affection et de soutien – et que tu ignores comment l'obtenir – tu compenses par ton alimentation. Ne recevant pas ce que tu veux de l'extérieur, tu combles ton besoin par la nourriture. Tu peux alors manger sans fin – de là l'expression « il n'a pas de fond » –, croyant ainsi remplir le vide intérieur que tu vis. Tu manges beaucoup ; non parce que c'est bon ou parce que ton corps en a besoin, mais bien pour te donner l'impression de recevoir ce qui te manque. Malgré ce gavage incessant, tu continues pourtant à sentir un creux au niveau de ton estomac. Tu es comme un puits sans fond. Ce que tu ne réalises pas, c'est que ce vide se situe plutôt au niveau du cœur. Comme la nourriture ne peut remplacer ce manque affectif, il n'y en a jamais assez et tu ne sais pas quand arrêter. C'est le cœur qui a besoin d'être rempli d'une bonne dose d'amour de soi.

J'ai aussi remarqué que lorsqu'une personne se retrouve dans son masque de dépendant et qu'elle prend son repas en bonne compagnie, elle va souvent manger avec une lenteur excessive pour faire durer le plaisir. C'est sa façon de contrôler la quantité d'attention dont elle a besoin. Elle est aussi plus attirée par des aliments mous, qu'elle n'a pas à beaucoup mastiquer.

La blessure d'humiliation et l'alimentation
(Masque : masochiste)

Quand tu souffres d'humiliation, croyant qu'être une personne sensuelle est indigne, tu te contrôles pour ne pas jouir de tes sens. Devant les autres, tu vas souvent te retenir de manger ce que tu aimes le plus ; tu vas te forcer pour choisir ce que tu crois être digne d'une personne bien. Cependant, il arrive un temps où la personne masochiste n'arrive plus à se retenir, ses sens étant, d'une certaine façon, pris en otage. Elle perd alors le contrôle dans la nourriture et mange de manière exagérée, parce que c'est TELLEMENT BON. Par ailleurs, le plaisir de « manger » passe davantage par ses yeux. Si tu te vois ainsi, tu as sûrement beaucoup de mal à passer à côté d'un plat d'amuses-gueules, sans te retenir d'en prendre. Quand tu sais qu'il y a des friandises ou quelque chose que tu aimes chez toi, il doit t'être très difficile d'y résister. Tu sais que tu n'as pas faim mais c'est plus fort que toi. La personne masochiste jouit physiquement de la nourriture, mais très peu psychologiquement. Plus grande est sa jouissance physique, plus grande est sa culpabilité de se laisser aller, et ce, dans n'importe quel domaine.

Elle mange souvent pour se remplir, pour ne pas sentir son corps. Elle croit que, si elle ressent la faim, elle va sentir son corps, ce qui n'est pas spirituel selon elle.

Une fois qu'elle a commencé à manger, elle se donne quantité de raisons pour continuer. *Tant qu'à avoir exagéré et sûrement déjà pris un ou deux kilos,* se dit-elle, *autant continuer.* Tout ça, pour se donner raison d'être une personne indigne, honteuse, dégoûtante, gourmande. En tant que masochiste, elle cherche à se faire souffrir, à se punir. Elle souffre quand elle a faim et elle souffre après avoir trop mangé.

C'est le genre de personne le plus attirée par les aliments gras, comme le beurre, la crème, les sauces riches, etc. Elle peut continuer ainsi jusqu'à être écœurée de ce qu'elle mange, au même degré qu'elle est dégoûtée d'elle-même.

La blessure de trahison et l'alimentation
(Masque : contrôlant)

Avec la blessure de trahison, puisque tu veux avoir le contrôle sur ce qui se passe à l'extérieur et que tu as de la difficulté à faire confiance aux autres, tu reproduis le même schéma en te nourrissant. L'expression « mettre son grain de sel » s'applique très bien au contrôlant.

Tu sais que c'est ton cas, lorsque tu t'assures d'ajouter du sel ou du poivre, des épices ou du sucre, etc., quand c'est quelqu'un d'autre qui a préparé le repas. Combien ai-je vu de personnes ajouter une bonne quantité de sel et de poivre à leurs aliments, avant même d'y avoir goûté !

Je me souviens d'un jour où j'observais un couple assis à la table voisine dans un restaurant. Monsieur reçoit son assiette et, tout en continuant à parler à sa compagne, prend la salière et la secoue partout sur son assiette. Curieuse, je n'ai pu m'empêcher de compter le nombre de fois qu'il a répété ce geste. Dix-huit fois ! Je le surveillais de près, tout en me disant qu'il ne s'était certainement pas rendu compte de son geste et qu'il ne pourrait, de toute évidence, rien avaler. Mais non, il a tout mangé. Cependant, il mangeait comme un bon contrôlant, sans prendre le temps de bien mastiquer et de savourer les aliments, du fait qu'il allait trop vite.

Tu sais que cette blessure est activée quand tu fais plein d'autres choses en mangeant. Par exemple : lire, discuter affaires, faire la morale aux enfants ou à ton conjoint durant le repas, regarder la télé, etc. C'est pourquoi tu ne portes pas vraiment attention à ce que tu absorbes et qu'il y a de fortes chances que tu manges plus que nécessaire, principalement en raison de la vitesse à laquelle tu ingurgites le tout. Il y en a même qui avalent tout rond de très grosses portions. L'estomac ne peut alors recevoir le message du cerveau lui disant qu'il en a assez.

Le contrôlant est aussi celui qui mord dans sa nourriture. Il veut tellement contrôler les autres que, lorsqu'il éprouve de la colère face à ses attentes non comblées, il tente d'assouvir sa faim en mordant. Ce sera souvent une raison de manger de la viande, non parce que son corps en a besoin mais bien par nécessité de mordre.

Il peut sembler bien jouir de la nourriture, car il mange avidement et aime goûter à tout. Néanmoins, ce n'est pas la réalité, s'il est dans le contrôle, donc dans sa blessure. Convaincu d'un prétendu bien-être, il peut dire souvent *Comme c'est bon*. Mais s'il mange très vite, il ne savoure pas vraiment.

La blessure d'injustice et l'alimentation
(Masque : rigide)

Si c'est ta blessure d'injustice qui est à l'œuvre, tu feras la même chose avec la nourriture que dans ta vie. Tu essaieras de te contrôler le plus possible. Seul celui qui souffre de cette blessure arrive à suivre un régime draconien et à se contrôler pour avoir le poids idéal, la taille qu'il considère acceptable.

Quand ton masque de rigide prend le dessus, tu parviens à contrôler la quantité et le choix d'aliments à ingérer. Il est fort possible, de plus, que tu juges le comportement du « laisser-aller » tellement inacceptable que tu affirmes régulièrement des choses comme : *Je ne mange JAMAIS de sucre ou de dessert. Je ne bois PLUS d'alcool. Je ne mange QUE des aliments santé. Je ne grignote JAMAIS rien entre les repas.* Tu te fais une telle gloire d'être capable de te contrôler de la sorte que tu ne t'aperçois pas que tu émets des propos qui ne correspondent nullement à la réalité. C'est le « rigide » qui utilise le plus souvent des superlatifs comme *toujours, jamais, extraordinaire, épouvantable*, etc.

J'ai une amie qui, à chaque fois qu'elle vient manger chez moi, répète ce qui suit au moment du dessert : *Je suis tellement fière de moi ; j'ai cessé de manger du dessert depuis un bon moment. Mais aujourd'hui, je vais faire une exception. Tu es si bonne cuisinière et ce dessert semble si délicieux que je vais me laisser tenter.* Je m'abstiens ici de te dire la quantité qu'elle consomme. Je suis convaincue qu'elle ne se rend pas compte de cette « manœuvre » depuis plusieurs années et encore moins de la quantité qu'elle absorbe.

Plus tôt, j'ai parlé du masochiste qui mangeait beaucoup, mais tout en se sentant coupable. Le rigide se sent aussi très coupable mais, comme il excelle dans le contrôle de lui-même, il parvient assez facilement à se raisonner, à s'imaginer que ce n'est pas grave, vu que ce n'est que cette fois-ci, et ce, dans le but d'occulter sa culpabilité. Voilà pourquoi il s'attire des problèmes physiques soudains et très douloureux : pour attirer son attention sur toute cette culpabilité qu'il occulte. De plus, il éprouve de la difficulté à trouver la cause de ses problèmes, car il n'est pas conscient de ce dont il se sent coupable. Les douleurs qu'il provoque sont en fait sa façon inconsciente de se punir.

Si jamais le rigide finit par perdre le contrôle en matière de nourriture ou de boisson, étant arrivé au-delà de ses limites dans d'autres domaines, il cherchera le plus possible à vivre cette situation seul et n'osera pas en parler. Lorsqu'il perd le contrôle devant d'autres personnes, sa culpabilité est grandement multipliée et il se promet bien de ne plus jamais recommencer.

Plus le rigide est exigeant envers lui-même et s'empêche de ressentir, plus il sera porté, en outre, à ajouter des épices dans son alimentation. À l'inverse du contrôlant, cependant, il goûte d'abord à sa nourriture, car tout doit être parfait, à son goût. Ensuite, il ajoute les épices dont il croit avoir besoin à ce moment-là.

Le rigide aime aussi les aliments très croquants, comme les chips, et privilégiera les fruits et légumes crus et durs.

Si tu te vois dans cette blessure, il est fort possible que tu sois du genre à vérifier soigneusement les aliments et les quantités sur les étiquettes de tous les produits d'alimentation. Est-ce que tu le fais vraiment par amour pour toi, car tu refuses de manger des produits chimiques, par exemple ? Ou est-ce par peur de retrouver des ingrédients qui font grossir ?

J'ai souvent été témoin de personnes rigides qui, lorsqu'elles perdent le contrôle, absorbent une grande quantité d'aliments « non grossissants » ; ainsi elles s'imaginent que ce n'est pas si mal. Néanmoins, le corps n'est pas plus heureux, car il aura à digérer, assimiler, et éliminer ou stocker ce surplus quelque part dans l'organisme. Il en est de même pour le sucre car même s'il est naturel, l'absorption d'une grande quantité sera inévitablement dommageable pour le corps.

Il se peut que tu sois également dérangé lorsque tes proches mangent en trop grande quantité. Ne te le permettant que très rarement, il te sera difficile d'accepter que quelqu'un d'autre puisse se le permettre. Pour t'autoriser à manger véritablement à ta faim, et particulièrement tout ce que tu aimes, tu crois devoir le mériter. Dans le cas contraire, tu t'imposes alors des restrictions.

Combien de fois ai-je été témoin de personnes qui mangent soit avec goût, volupté, ou appétit quand, tout à coup et sans raison apparente, elles poussent leur assiette en disant : *C'est assez. Je dois maintenant arrêter.* On peut même percevoir une certaine raideur dans leur maintien. Elles viennent de mettre leur masque de rigide et décident qu'il est temps de se contrôler.

Je te rappelle que tous ces contrôles et ces pertes de contrôle reliés aux cinq blessures sont un reflet d'un autre type de contrôle qui se reflète dans ta vie psychologique. Le physique est toujours un reflet de ce qui se passe au-delà de l'enveloppe corporelle. Voilà pourquoi il est inutile de te contrôler physiquement, car la cause du contrôle se situe au-delà de ce physique et continuera à persister. C'est comme lorsque tu tentes de cacher une blessure avec un pansement, sans la soigner, espérant ainsi ne plus la voir. Bien au contraire, celle-ci risque plutôt de s'aggraver.

Il en est de même pour tous les troubles physiques qui, selon la médecine, sont causés par une mauvaise gestion alimentaire qui ne respecte pas les besoins du corps. Par exemple, les crises de foie, les indigestions, les brûlures d'estomac, l'hypoglycémie, le diabète, les problèmes d'intestins, etc., s'avèrent de bons exemples de malaises qui nécessitent très souvent un changement de régime alimentaire.

Ces problèmes physiques ne sont que des expressions de ton être, qui veut attirer ton attention sur des attitudes intérieures qui ne sont plus bénéfiques pour toi. Ton Dieu intérieur cherche à te dire, par ces malaises, qu'il est grand temps que tu apprennes à t'aimer davantage.

Puisque j'ai écrit un ouvrage[1] complet recensant environ cinq cents types de malaises et de maladies, je n'en fais pas mention dans ce livre.

Choix des aliments

Pour terminer ce chapitre, voici un résumé de la signification des différents choix et comportements alimentaires les plus fréquents. Tes choix et tes comportements sont une autre façon de devenir conscient de tes blessures. Dans le quatrième chapitre, tu trouveras une méthode simple et rapide pour t'aider à te connaître davantage, et ce, grâce à ton alimentation. Ce qui est mentionné ci-après englobe non seulement les aliments, mais également tout ce que tu bois, à l'exception de l'eau.

Pour chaque aliment mentionné ci-après, il y a plusieurs explications. Il se peut qu'une seule te convienne comme il peut y en avoir plusieurs.

Aliments salés ou trop de sel : ajouter ton grain de sel aux agissements ou propos des autres. Avoir de la difficulté à ne pas avoir le dernier mot. Chercher à avoir raison. Vouloir que tout aille selon tes désirs. Peur de te faire contrôler. Te causer de la pression inutile devant l'impossibilité à tout contrôler. Éprouver de la difficulté à t'exprimer alors que tu voudrais avoir le dernier mot.

---

1. *Ton corps dit : Aime-toi !*, Lise Bourbeau, Les Éditions ETC, 1997.

Comment savoir ce que signifie « trop de sel » ? Il y a de fortes chances que tu fasses partie de la majorité des gens qui en consomment trop. Le besoin minimum de sodium par jour est d'un demi-gramme, l'idéal étant par ailleurs d'un gramme et demi. En Amérique, la moyenne de consommation de sodium quotidienne est de sept grammes, donc plus de quatre fois le critère idéal recherché. On retrouve beaucoup ce dernier comme produit de conservation, à l'intérieur de tous les aliments déjà préparés des supermarchés. Voilà une des raisons principales, selon la médecine, pourquoi neuf Canadiens sur dix souffrent d'hypertension. En réalité, ce n'est pas le sel qui cause l'hypertension, mais plutôt les émotions vécues qui t'incitent à absorber trop de sel.

Aliments sucrés ou le sucre : manquer de douceur dans ta vie. Être trop exigeant envers toi-même, t'en demander trop. Difficulté à te faire des compliments ou à reconnaître ta vraie valeur. Croire que tu as droit à une récompense uniquement quand tu as accompli quelque chose d'extraordinaire. Peur d'être égoïste. Ne pas être en contact avec tout ce que tu reçois, croyant en manquer, ce qui signifie être davantage en contact avec ce que tu ne reçois pas selon tes attentes.

Comment savoir si tu absorbes « trop de sucre » ? Les résultats des recherches à ce sujet comportent des conclusions différentes les unes par rapport aux autres. Par contre, j'ai souvent entendu que la quantité de sucre contenue dans trois fruits frais est amplement suffisante sur une base quotidienne. En conséquence, tout surplus serait de l'indulgence.

Aliments épicés ou épices : manquer d'épices dans ta vie signifie l'absence ou l'incapacité à ressentir la beauté, l'aspect merveilleux de ce qui t'entoure et surtout de ce qui t'habite. Manque de passion, soit dans ta vie amoureuse, ta carrière ou ta vie en général. Laisser le mental, l'analyse prendre toute la place plutôt que de réellement sentir ce qui se passe en toi et être passionné par la vie. Peur de ressentir. Ne pas être assez en contact et reconnaissant envers les petits moments passionnants de ta vie.

Aliments riches en gras : dégoût de toi-même, que ce soit au plan physique ou au plan psychologique. Culpabilité. Vouloir te punir, au point de farcir ton corps des aliments les plus difficiles à digérer, assimiler et éliminer. Croire que tu mérites d'être puni si tu t'occupes de toi avant les autres.

Aliments croquants, croustillants : être trop sec et exigeant envers toi-même. Croire que ta vie se doit d'être dure, difficile. Te créer bien des problèmes, t'inquiéter pour rien, te compliquer la vie, quand ce n'est pas nécessaire. Croire qu'il faut gagner ton ciel à la sueur de ton front. T'en vouloir lorsque tu te considères comme étant une personne molle ou paresseuse. Avec les autres : avoir la critique facile, être impatient et faire preuve d'intolérance.

Aliments mous : manquer de force, de soutien pour construire la vie que tu veux. Compter sur les autres pour ton bonheur. Croire que tu n'arrives à rien seul. T'en vouloir de désirer une vie heureuse, facile, de te la couler douce. Croire que, si tu agis en personne forte, les autres ne s'occuperont plus de toi.

Caféine : afficher un manque de stimulant dans ta vie, c'est-à-dire n'avoir que très peu de buts qui sont motivants, pour lesquels tu as hâte de te lever le matin. T'occuper des objectifs, des projets des autres, plus que des tiens.

Beaucoup de pain : le fait de n'avoir jamais suffisamment de pain – la nourriture de base de l'être humain – signifie que tu crois ne pas être assez nourri par tes proches. Tu es dépendant, soit de leur présence, de leur attention, de leurs compliments, de leur reconnaissance ou de leur opinion, ce qui constitue une forme de soutien pour toi.

★

Je précise que ce qui est décrit plus haut ne doit pas dégénérer en obsession. Toutes ces descriptions sont pour les moments et les situations où tu te rends compte que c'est au-delà de la normale. Par exemple, ce n'est pas parce que tu aimes manger des spaghettis (aliment mou) que cela veut dire que tu comptes sur les autres pour ton bonheur. Par contre, si tu as envie de manger des pâtes plusieurs fois par semaine, la définition ci-dessus s'applique probablement à toi.

Il en est ainsi pour tout ce qui est mentionné. Si tu bois un ou deux cafés dans ta journée, c'est très différent de la personne qui en boit plus et qui n'est pas en mesure de connaître le nombre de tasses qu'elle a consommées.

Différents comportements

Pour chaque comportement mentionné ci-après, il y a plusieurs explications. Il se peut qu'une seule te convienne comme il peut y en avoir plusieurs.

Manger ou boire très lentement : vouloir faire durer le plaisir, rechercher l'attention, la présence de quelqu'un. Peur de la solitude.

Manger ou boire très vite : ne pas être présent à son repas, à cause de la recherche de contrôle de quelque chose ou de quelqu'un d'autre. Vouloir contrôler le temps. Avoir peur que les autres nous trouvent lents, pas assez responsables, pas assez fiables. Vouloir gagner, avoir le dessus sur quelqu'un d'autre. Peur de ne pas être à la hauteur.

Manger ou boire très peu : croire ne pas mériter de se faire nourrir par notre mère ou tout ce qui concerne l'amour maternel. Ne pas être en contact avec ses propres besoins. La peur d'être aimé devient plus forte que le désir d'être aimé. Ne pas manger ou boire assez est souvent une indication qu'il y a un « trop » dans un autre domaine dans lequel on ne s'accepte pas. Cela peut également signifier pouvoir gérer ce « trop » mais ne pas en être conscient.

Manger ou boire trop : se remplir jusqu'à se sentir mal signifie ne pas être en contact avec ses limites. Vouloir en prendre ou en faire trop pour les autres. Veiller à materner ses proches outre mesure, le tout au détriment de ses propres besoins. Peur de ne pas être aimé. S'infliger des punitions, souffrant d'avoir trop mangé. Manger ou boire trop est souvent une indication qu'il y a un « pas assez » dans un autre domaine dans lequel on ne s'accepte pas. Il peut aussi s'agir d'en « avoir assez » mais ne pas le voir.

Mordre dans la nourriture : avoir l'intention de mordre quelqu'un. Contrôler sa colère. Se forger des attentes, sans accords tacites. Vouloir que tout se passe à notre façon. Peur d'être doux, vulnérable et s'en vouloir lorsque ça se manifeste.

Avaler tout rond et ne rien savourer : vouloir faire disparaître quelqu'un d'autre. Avoir du ressentiment, garder rancune. Refuser de voir et de discerner le bon côté de l'autre. Renier la façon d'être de l'autre. Peur d'être vulnérable. Le fait de ne rien savourer indique aussi que cette personne a de la difficulté à s'adonner aux plaisirs de la vie. Elle s'en veut lorsqu'elle se l'autorise.

CHAPITRE TROIS

Connais-tu les besoins
de ton corps ?

Pour arriver à te connaître à travers ce que tu ingères, la première chose à savoir c'est si tu écoutes bien ou non les besoins de ton corps physique. Lorsque tu es conscient d'être à son écoute, cela signifie que tu es tout autant à l'écoute de tes corps (et besoins) émotionnel et mental. Si tu n'écoutes pas ton corps physique, sache, par conséquent, qu'il en est de même pour les autres corps.

Nos trois corps, qui constituent notre enveloppe matérielle nous permettant de vivre sur cette planète, ne peuvent être dissociés. Tout ce qui se passe dans un corps affecte automatiquement les deux autres. Il est donc plus sage d'être attentif à ce que tu vis à travers ton corps physique, celui-ci étant beaucoup plus tangible que tes deux autres corps.

Voilà pourquoi je te rappelle ce que veut dire « écouter les besoins de son corps physique ». Bien que la plupart de nous ayons appris ces éléments depuis la plus tendre enfance, il est important de se les remémorer. Notre corps physique a besoin :

- d'aspirer de l'air ;
- de boire de l'eau ;

- de s'alimenter ;
- de bouger ;
- de se reposer et de dormir.

Dans ce chapitre, je m'attarde surtout sur le besoin de s'alimenter – les autres besoins reviennent au chapitre VI. Si tu es comme moi, lorsque j'étais jeune et que j'entendais parler de bonne alimentation, je comprenais ceci : « ne manger que des trucs pas trop intéressants » ou « se priver de bonnes choses », ou « quand c'est bon pour la santé, ce n'est pas bon au goût », ou encore « surveiller tout ce qu'on mange » (ce qui représente beaucoup de travail). Et toi, qu'est-ce que ton cerveau enregistre lorsque tu entends qu'il est important d'écouter les besoins alimentaires de ton corps physique ?

Ma décision de passer ces besoins en revue n'est pas de t'amener à faire du « contrôle ». Loin de là. En fait, je sais aujourd'hui que ce n'est guère la solution. C'est pourquoi je décourage toute forme de contrôle, autant sur le plan physique qu'émotionnel et mental. Mon intention est surtout de t'aider à réaliser que ton corps – qui est ton véhicule dans cette vie – est comme tout autre genre de « wagon ». S'il n'est pas entretenu et qu'il ne reçoit aucune attention ou des soins adéquats, il durera moins longtemps et ne pourra fonctionner à sa pleine capacité.

Je rappelle les raisons principales pour lesquelles nous mangeons :

▶ Pour assurer notre croissance physique et psychique

▶ Pour l'entretien du corps

▶ Pour conserver l'immunité naturelle du corps

▶ Pour assurer la continuité de l'espèce.

Nous ne mangeons donc pas en premier lieu pour le plaisir de savourer et pour calmer notre faim. Ces deux dernières raisons devraient être secondaires dans l'esprit des gens. Voilà la raison principale pour laquelle nous devons être vigilants dans le choix et la qualité de ce que nous ingérons.

Les six éléments nutritifs

Ton corps a besoin de six éléments nutritifs pour bien fonctionner. Il te fait savoir lequel lui est nécessaire quand tu ressens la faim ou la soif. Dans tel ou tel cas, celui-ci peut avoir besoin d'eau, de protéines, de lipides (gras), de glucides (sucres), de vitamines ou de minéraux.

Lorsque tu ingères tout autre élément, tu donnes à ton corps une charge importante de travail, ce qui lui enlève de l'énergie, alors que le but souhaité pour bien le nourrir est de lui en procurer. C'est donc une indication que tu n'es pas à l'écoute de tes besoins, en général. Par exemple, les sucres raffinés, les amidons blancs, les gras non essentiels, l'alcool, le tabac, la caféine ainsi que tous les produits chimiques (incluant les médicaments) sont tous des ingrédients qui exigent beaucoup de travail de ton corps dans ses fonctions de digestion, d'assimilation et d'élimination.

Nous allons voir, à travers ce livre, la raison qui te motive à le nourrir d'une façon plutôt que d'une autre. Je n'ai encore jamais rencontré une personne qui écoute TOUJOURS les besoins de son corps. Ce qui est rassurant, c'est que notre corps est d'une consistance et flexibilité extraordinaires et qu'il sait, à travers son intelligence innée, que l'état naturel de l'humain est de vivre dans l'harmonie. Pour atteindre cette dernière, il nous est nécessaire d'apprendre à nous aimer davantage avant que nous puissions arriver à écouter nos vrais besoins, et ce, à tous les niveaux.

Je n'ai aucune intention de te culpabiliser lorsque tu t'aperçois que tu n'écoutes pas tes besoins. Cette prise de conscience doit être utilisée SEULEMENT dans le but de t'aider à te connaître.

En ce qui concerne les six éléments nutritifs, il est bien sûr important de te souvenir que plus les ingrédients sont naturels, plus le corps est heureux parce que son système digestif aura moins besoin de travailler.

L'eau. Après l'air, c'est le plus grand besoin de notre corps, car celui-ci est constitué d'environ 65 % d'eau. L'eau est nécessaire pour le sang, les tissus, ainsi que pour le transport des éléments nutritifs, l'élimination des déchets et pour aider le corps à régulariser sa température.

Quand tu as soif, ce n'est que de l'eau pure dont ton corps a besoin. Si tu bois une eau pure, comparé à une eau remplie de produits chimiques, ça fait une bonne différence. Pour le vérifier, place un verre d'eau pure à la température de la pièce à côté d'une eau impure – traitée au chlore par exemple – pendant vingt-quatre heures. Ensuite, goûte aux deux verres d'eau. Tu sauras ainsi ce que signifie boire de l'eau pure.

De plus, il est bon de te rappeler que ton corps a régulièrement besoin d'au moins deux litres d'eau par jour, afin de remplacer ce que tu perds par l'urine, par l'expiration et par les pores de la peau. Tu ne peux, hélas, inclure dans ces deux litres, l'eau ou tout liquide transformé sous forme de thé, café ou autre boisson. Dès lors que l'eau ne possède pas l'élément clé d'une absolue pureté, soit du H_2O, cela implique que le liquide s'infiltre par le système digestif. L'eau pure, par contre, est assimilée par ton corps tout entier.

Il est possible pour chacun de nous d'adopter une nouvelle habitude. As-tu remarqué l'aisance que possède une personne qui décide de fumer, de toujours se souvenir d'apporter avec elle son paquet de cigarettes ? Comme tu vois, ça ne dépend que d'une décision. Alors pourquoi ne pas décider de toujours apporter avec toi de l'eau dans ton contenant personnel ? Il se peut que, les premières semaines, tu sois obligé de placer quelques pense-bêtes dans des endroits visibles pour te le rappeler. Mais je t'assure que cette bonne habitude ne peut que t'être bénéfique.

Souviens-toi, de plus, qu'aussitôt que ton corps a soif, toute autre boisson que tu absorbes n'a pas le réel pouvoir d'étancher cette soif. Au contraire ! Ça ne fait que l'accentuer. Savais-tu, par exemple, que dans une bouteille de cola, il y a l'équivalent de huit cuillères à café de sucre ? Et que pour chaque tasse de café avalée, ton corps élimine le double en eau ? Cela veut donc dire que, si tu absorbes quatre tasses de café par jour, quatre verres d'eau supplémentaires te sont nécessaires – en plus des deux litres recommandés par jour. À noter que la bière a également le même effet.

Les cinq autres éléments nutritifs seront passés rapidement en revue car, comme vous le savez, ce livre n'a pas pour objectif principal de vous apprendre à bien vous nourrir. Il est conçu pour vous aider à vous connaître à travers votre façon de vous alimenter plutôt que de faire du contrôle.

Les protéines. Elles sont nécessaires pour construire, entretenir et réparer nos cellules. Par exemple, ce sont elles qui favorisent la croissance, la pousse des cheveux, des ongles, etc.

Si on ingère une protéine provenant de la nature – légumineuses, noix, graines, céréales... –, elle est beaucoup plus assimilable qu'une protéine animale. Si on se nourrit d'une protéine animale qui provient d'un animal heureux, c'est-à-dire une bête élevée dans la nature, comparé à une bête élevée dans ce qu'on appelle « les camps de concentration ou élevage industriel », ça fait aussi toute la différence.

Les lipides. Leur plus grand rôle, entre autres, est d'apporter une source concentrée d'énergie au corps et de maintenir une réserve d'énergie dans les tissus adipeux. Les lipides s'avèrent d'une grande importance pour une bonne santé de la peau.

Le corps, quant à lui, a surtout besoin de gras insaturés qui sont de source végétale. Les gras saturés, de source animale, ne sont pas des acides gras essentiels. Ces derniers sont des gras qui sont nécessaires à notre corps, mais que celui-ci ne peut produire.

Les glucides. Nous avons tous besoin de glucides, lesquels sont notre principale source d'énergie. Parallèlement, le cerveau ne peut se nourrir que de glucides. Nous les retrouvons sous forme de sucre et d'amidon. Cependant, ce sont des sucres naturels et des amidons non blanchis qui doivent néanmoins être recherchés.

Les glucides dont le corps a le plus besoin doivent provenir de sucres naturels, tels ceux que renferment les fruits. Comme ça requiert de la vitamine B pour transformer les hydrates de carbone en énergie, lorsque nous absorbons des sucres raffinés qui ne contiennent aucune vitamine B, au lieu de fournir l'énergie nécessaire à notre corps, nous lui en enlevons, et ce, afin d'éliminer ces hydrates de carbone inutiles. Quand ces derniers ne sont pas éliminés, ils sont entreposés dans le corps.

Un sucre naturel, facile à assimiler et qui comporte un taux glycémique très bas, est le sirop d'agave. Celui-ci est un extrait de la sève de cactus et est désigné par les tribus amérindiennes comme étant le nectar par excellence.

Tu peux facilement avoir des informations au sujet des six éléments nutritifs dans d'autres livres, ainsi que sur plusieurs sites Internet. Tout ça, dans le but de vérifier à quel point tu demandes beaucoup de travail et d'efforts à ton corps. Déjà, tu peux constater que, si tu donnes du fil à retordre à ton corps pour digérer, assimiler et éliminer ce que tu bois et manges, cela signifie que tu fais la même chose dans ta vie au quotidien : tu t'en demandes trop, tu ne t'aimes pas encore assez pour te rendre la vie facile. Nous verrons dans un autre chapitre la signification plus précise de plusieurs aliments.

La mastication

Il y a un autre facteur qui doit également être pris en considération : la mastication. Plus on mastique et plus on active les glandes salivaires. La salive remplit plusieurs fonctions :

- elle nettoie la bouche ;
- elle dissout les constituants chimiques de la nourriture afin que le goût soit perceptible, permettant ainsi de prolonger le plaisir des saveurs ;
- elle humidifie la nourriture et aide à sa compaction sous forme de bol alimentaire ;
- elle contient des enzymes qui amorcent la digestion des graisses, ce qui aide le travail de l'estomac ;
- elle régule le pH de notre bouche et évite les attaques acides sur nos dents, ce qui augmente la qualité de ces dernières.

Lorsque tu avales tout rond, tu évites de passer par cette phase de prédigestion, ce qui a pour effet de nuire à ta digestion principale. En conséquence, tu renonces ainsi à plusieurs des bons éléments nutritifs que la nourriture apporte à tout être humain. Ne trouves-tu pas qu'il est malheureux de choisir de bons aliments, le plus naturels possible, et de ne pas en profiter au maximum ?

Un autre avantage d'une bonne mastication, est que celle-ci contribue à faire ressortir les éléments nutritifs de tous les aliments – surtout les plus naturels –, non seulement à l'intérieur de notre corps physique, mais aussi à travers notre partie émotionnelle et mentale. Nous bénéficions ainsi, de façon optimale, de tous ses bienfaits. De plus, le fait de bien mastiquer des deux côtés de la bouche t'aide à savourer davantage ce que tu manges, avec tes principes féminin et masculin. Quand tu absorbes de la nourriture et que tu es conscient d'être énergisé dans les trois plans (physique, émotionnel et mental) et qu'en plus tu nourris tes aspects féminin et masculin, il y a de fortes chances que tu deviennes plus attentif à ce que tu choisis d'avaler, contribuant ainsi à écouter davantage les besoins alimentaires de ton corps. Tu réaliseras également que les aliments sont beaucoup plus savoureux.

Manger lentement et savourer

Le fait de bien mastiquer aide aussi à se rassasier plus vite. Je n'invente rien en affirmant qu'il est important de bien prendre son temps pour manger. Par ailleurs, cela ne veut pas forcément dire de faire de longues pauses entre chaque bouchée. En ce qui me concerne, la meilleure façon que j'ai découverte pour savoir si je mange avec lenteur ou non, c'est de vérifier si je sens vraiment le goût de ce que j'ingère. Les personnes qui, comme moi, sont très rapides en général, ne peuvent manger à la même vitesse que celles qui sont plus lentes de nature. J'ai souvent entendu cette suggestion qui consiste à déposer le couteau et la fourchette entre chaque bouchée. Ce qui importe, toutefois, c'est de trouver la façon qui produit les meilleurs résultats pour toi.

Pour ma part, si j'ai pris le temps de mastiquer des deux côtés de la bouche et que j'ai bien senti les aliments, bien utilisé mes papilles gustatives, je sens que mon corps est satisfait. Pourquoi est-ce important de percevoir le goût ? Pour savoir à temps quand ton corps est rassasié. De façon générale, il est beaucoup plus difficile pour la plupart de nous de détecter quand on n'a plus faim. As-tu remarqué ce qui se passe quand tu as un gros rhume et le nez bouché ? Il t'est presque impossible de vraiment sentir et savourer ce que tu manges. Tu as donc l'impression de ne pas être satisfait, d'avoir toujours faim, et ce, même si tu viens de sortir de table il y a à peine une demi-heure.

Manger lentement, par ailleurs, ne veut pas nécessairement dire s'éterniser pendant le repas. Certains parlent sans cesse en mangeant, d'autres répondent au téléphone, se lèvent à tout moment pour vaquer à d'autres occupations, lisent une revue ou un livre tellement absorbant qu'ils en oublient de manger. Si tu te reconnais dans l'un ou l'autre de ces scénarios, tu as sûrement dû remarquer que tu ne sens pas vraiment (ou très peu) tes aliments ! Même si le repas a nécessité beaucoup de temps, chaque bouchée a pu être avalée de façon très rapide.

Je te rappelle que ne rien sentir en s'alimentant est le signe que tu as de la difficulté à goûter aux plaisirs de la vie.

Donner à son corps ce dont il a besoin

Il se peut que tu ne te nourrisses exclusivement que de bons aliments, mais est-ce que tu donnes à ton corps ce dont il a besoin et au moment où il en a besoin ?

Pour le savoir, tu n'as qu'à attendre quelques secondes avant de boire ou de manger, et te demander : *AI-JE VRAIMENT BESOIN DE ÇA MAINTENANT ?* Dans les premiers temps, il est presque certain que tu ne sauras y répondre de façon adéquate. Nous sommes tellement doués pour nous imaginer plein de choses, qu'il est très facile de se dire *Oui, oui, j'ai vraiment envie de ce gâteau maintenant.*

Prenons quelques instants pour faire la différence entre un besoin et un désir. Il nous arrive beaucoup plus souvent de désirer quelque chose qui ne répond pas réellement aux besoins de notre corps, que de rechercher ce qui y répond vraiment. Supposons que tu sois chez toi et que tu saches qu'il y a de délicieux petits chocolats dans un tiroir. Rien qu'à penser à ces chocolats, l'eau te vient à la bouche. Il se peut que tu en aies besoin. Pour le savoir, pose-toi la question suivante : *S'il n'y en avait pas dans le tiroir, est-ce que j'aurais pensé au chocolat ?* Si tu réponds spontanément *OUI*, et que tu serais même prêt à t'en procurer à n'importe quel endroit, il est fort probable que tu en aies réellement besoin.

Un autre moyen de reconnaître si cette envie correspond à un besoin consiste à attendre au moins une demi-heure et si, au bout de ce laps de temps, tu oublies cette envie, ce n'était qu'une lubie. Mais si cette pensée persiste, c'est signe que tu en as besoin.

Cependant, ce besoin est-il physique ou psychologique ? Pour le savoir, vérifie au préalable si tu as vraiment faim. **Car l'envie de manger et le fait d'avoir faim sont deux choses différentes.** Si tu viens de sortir de table il y a à peine une heure, tu n'as pas vraiment faim. C'est seulement l'attrait du chocolat qui est présent et il est fort probable que cette « gourmandise » vienne remplir un besoin psychologique, tel qu'un besoin de présence, de récompense, d'être rassuré, d'être reconnu, ou autre. Si tel est le cas, tu manges le chocolat, même si ton corps physique n'en a pas vraiment besoin. À tout le moins, tu peux être reconnaissant d'être devenu conscient de ton besoin psychologique du moment. Tu te rendras compte que lorsque tu ingères un aliment ou un liquide, en étant conscient que c'est fort probablement autre chose dont tu as vraiment besoin, il te sera plus facile d'arrêter rapidement d'en absorber. Peu à peu, tu trouveras un autre moyen pour satisfaire ce besoin.

Lorsque tu ressens la faim, ton corps attire ton attention, à sa façon, grâce à différents bruits ou sensations. En devenant plus vigilant, tu sauras rapidement quels sont tes signaux personnels pour détecter une vraie faim. Ces signaux varient d'une personne à l'autre. Pour bien les reconnaître, tu n'as pas à t'inquiéter ; ton corps est tellement parfait qu'il sait exactement quand il a faim et ce dont il a besoin. Si tu crois avoir faim ou si tu penses que tu as faim, c'est un signe que tu n'es pas vraiment affamé. C'est un peu comme si tu demandes à quelqu'un s'il a mal au dos et qu'il te répond *Je pense que j'ai mal*. Suite à ce genre de réponse, tu peux logiquement en déduire qu'il n'a pas vraiment mal.

Fais-tu confiance à ton corps quand vient le temps de t'avertir à quel moment celui-ci à besoin d'éliminer ? As-tu besoin de lui rappeler quand transpirer ? Comment guérir et cicatriser une plaie ? Il en est ainsi pour toutes les fonctions du corps. En effet, celui-ci est la machine la plus sophistiquée au monde, et surtout doté de sa propre intelligence. Tu n'as donc pas besoin de décider pour ton corps du moment où il a faim.

Quand tu es sûr d'avoir faim et pour t'assurer de lui

fournir ce dont il a besoin, les questions suivantes s'avèrent très utiles :

▶ *Que me disent mes papilles gustatives ?*

▶ *Quelque chose de chaud ? De froid ?*

▶ *De dur ? De mou ?*

▶ *Quelque chose de sucré ? De non sucré ?*

Avec un peu de pratique, tu seras agréablement surpris de constater à quelle vitesse ces questions peuvent être posées et la rapidité à en obtenir les réponses. Tu peux, par exemple, recevoir comme message : quelque chose de chaud, de mou et non sucré. Il sera, par conséquent, plus facile de faire un choix éclairé pour répondre à ton besoin : un potage ? des pâtes ? du riz ? des légumes cuits ?... La décision t'appartient.

J'attire ton attention sur le fait qu'il est faux de croire que, lorsque tu as faim, tu peux manger n'importe quoi. Plusieurs parents ont répété cela à leurs enfants quand ils disaient avoir faim, mais ne pas vouloir manger ce que la maman avait préparé. Avoir faim signifie que ton corps réclame un ou plusieurs des éléments nutritifs indispensables à son bon fonctionnement. Si tu lui donnes un élément dont il n'a pas besoin, ton corps va continuer à être en demande.

S'il t'est difficile dans les premiers temps de faire l'exercice expliqué plus haut, tu n'as qu'à faire de ton mieux. Je t'assure qu'après quelques jours de pratique, cela deviendra de plus en plus facile d'entendre et de comprendre ce que réclame ton corps. Il est normal que tu puisses éprouver des difficultés, si tu n'as jamais pris le temps de vérifier avec ton corps ce qu'il te demande quand celui-ci te signale sa faim.

Tout nouvel apprentissage exige du temps et une certaine pratique. Connais-tu beaucoup de personnes qui ont su instantanément comment conduire une bicyclette, une auto, comment danser, cuisiner… sans s'être exercé plusieurs fois auparavant ? Il est donc très important que tu sois persévérant et tolérant envers toi-même. Tu t'éviteras ainsi beaucoup de stress. En outre, il en va de ton bien-être personnel.

Avoir faim mais ne pas savoir quoi manger

Pour les fois où tu n'arrives pas du tout à déterminer ton choix de nourriture, même en étant persuadé que tu as vraiment faim, deviens conscient qu'il en est ainsi dans ta vie. Tu sais que tu as besoin de plus pour être heureux dans certains domaines, mais tu n'arrives pas à savoir immédiatement ce que tu veux réellement. Ce genre de situation est vécu plus souvent par les gens qui ont du mal à avoir et à se fixer des objectifs précis, des buts excitants, enthousiasmants.

Si cela t'arrive, pose-toi la question suivante : *Si toutes les circonstances étaient parfaites, si j'avais tout le temps, l'énergie, les connaissances et même l'argent nécessaires, et qu'en plus, ce que je désire et décide ne dérangeait personne, qu'est-ce que je voudrais MAIN-TENANT ?* Laisse venir la première réponse qui monte. Cela ne veut pas nécessairement dire que ce désir doive se manifester tout de suite. Mais au moins, tu deviens conscient de quelque chose qui t'enflamme, qui t'enthousiasme. Tu n'as qu'à commencer à mettre en mouvement des actions, lesquelles vont éventuellement t'amener au but que tu t'es fixé.

Un autre moyen pour devenir conscient de ce qui pourrait répondre à un besoin consiste à se remémorer ce à quoi nous rêvions durant notre enfance et adolescence. Autrement dit, ce que nous croyions qui nous ferait vraiment plaisir plus tard. Ces désirs non manifestés ont de fortes chances de faire partie explicitement des besoins de ton être. Lorsque tu seras plus en contact avec tes besoins réels, le choix d'aliments pour répondre aux besoins de ton corps physique sera plus facile à faire.

CHAPITRE QUATRE

Te connaître par l'alimentation

En tenant compte de ce qui a été mentionné précédemment, tu deviens conscient de ton degré d'amour envers toi-même en observant si tu procures à ton corps physique uniquement ce dont il a besoin, et au moment où il en a besoin.

Utiliser ton alimentation pour écouter ton corps est un moyen rapide et efficace pour avoir conscience d'écouter ou non les besoins de ton Être. Il y a donc une différence entre écouter son corps et écouter ses besoins.

Écouter tes besoins c'est passer à l'action, c'est donner à tes trois corps ce dont ils ont besoin en te basant sur ce que tu as découvert en écoutant ton corps.

Le corps physique, étant le reflet tangible de nos deux corps subtils – émotionnel et mental – s'avère l'outil par excellence dont l'humain dispose, afin de découvrir ce qu'il refuse de voir ou ce qui lui est difficile de découvrir aux plans émotionnel et mental.

Par exemple, une personne qui est en colère et qui veut croire que tout va bien peut réussir à se contrôler parfaitement. En effet, si elle sait s'observer dans sa façon de manger, elle pourra également se rendre compte qu'elle mange avec colère, en voyant la façon dont elle dévore ou mord dans ses aliments.

Quelqu'un d'autre peut penser qu'il ne se sent coupable de rien aujourd'hui, alors qu'inconsciemment il boit ou mange un aliment en lien avec sa culpabilité. En effet, quand tu te sens coupable d'avoir ingéré un aliment quelconque, tu dois utiliser cette situation pour t'aider à devenir conscient que la vraie culpabilité va bien au-delà de la nourriture. En prenant le temps d'observer ce qui s'est passé dans les heures précédentes, tu découvriras ainsi que tu te sens coupable d'autre chose. En conséquence, tu pourras travailler sur la source du problème et pas seulement au niveau de l'alimentation.

Si tu doutes du bien-fondé de cette théorie et du fait que les trois corps soient un reflet de l'un par rapport aux deux autres, il te sera plus difficile d'utiliser les moyens suggérés dans ce livre. En général, un essai de trois mois s'avère suffisant pour découvrir si une méthode nous convient ou non. Alors, si tu fais partie de ceux qui doutent, pourquoi ne pas te donner l'occasion d'en faire l'expérience ? Qui sait ? Tu pourrais obtenir d'excellents résultats ! Si mes méthodes ne te conviennent pas, cela n'aura requis, somme toute, que trois mois de ton temps pour le vérifier.

Registre journalier

Ce que je te propose de faire, au cours des trois mois qui suivent, est de t'allouer de cinq à quinze minutes à la fin de chaque journée pour remplir un registre journalier de nourriture. Tu trouveras un modèle de ce registre à la fin de ce livre. À des fins pratiques, ce même modèle a été placé sur le site web www.lisebourbeau.com pour que tu puisses l'imprimer.

En guise d'apprentissage, ce registre t'aidera à effectuer une rétrospective de chaque jour. Tu commences à partir du moment où tu notes, en remontant jusqu'à ton lever. Ici, il ne s'agit pas de dresser une liste de tous les détails d'un plat, par exemple tous les composants d'une salade ou de compter les calories, mais bien de découvrir, dans l'ensemble, si tu procures à ton corps ce dont il a besoin et ce qui te motive à manger ou à boire.

Pour t'aider, tu trouveras p. 74 en exemple le registre de Rita, une femme mariée, qui vit seule avec deux jeunes enfants et qui travaille à temps plein dans un bureau.

Par la suite, tu notes le nombre de verres d'eau que tu as bus dans la journée. Souviens-toi que le corps a besoin de deux litres, donc l'équivalent de huit verres moyens de 250 ml par jour. À titre indicatif, un verre moyen est d'environ 375 ml.

Une fois ces deux premières colonnes complétées, tu avances à la colonne suivante afin de vérifier si tu avais faim ou non et ce qui t'a motivé à manger ou à boire.

Au cours de cet exercice, il peut se présenter plusieurs situations :

▶ Tu as faim et tu manges seulement ce dont tu as vraiment envie

▶ Tu as faim et tu manges n'importe quoi, sans vérifier ce dont tu as besoin

▶ Tu as faim et tu manges trop

▶ Tu n'as pas réellement faim et tu manges pour une autre raison – voir ci-après.

Heure	Aliments solides et liquides
21 h	Deux biscuits Un verre de lait
18 h 30	Un bol de soupe Une tranche de pain Poulet et sauce 3 pommes de terre Une 2e tranche de pain 2 boules de glace Thé
17 h 30	2 bières Cacahuètes – petite poignée
Vers 15 h	2 cafés
12 h 30	Un hamburger Frites (grande portion) Une boisson gazeuse Un croissant aux pommes Café
11 h	Café 2 biscuits sucrés
10 h	Café
7 h 30	2 toasts avec confiture 2 cafés

Première étape, tu fais une croix devant « Faim » ou « Pas faim ». Même chose pour la troisième colonne intitulée « Mange selon besoins ». Je te rappelle que **pour savoir si tu as écouté tes besoins, il est important de t'être demandé au préalable si tu avais faim pour du chaud ou du froid, du dur ou du mou, ou du sucré ou du non sucré**. Était-ce clairement ce que tu voulais à ce moment-là ? Par exemple, si dans la journée, tu commences à sentir la faim et que l'idée de manger un délicieux potage te fait saliver, il est certain que c'est ce dont ton corps a besoin. Par contre, si au moment de manger tu sembles encore indécis, c'est là que tu dois te poser les questions suggérées plus tôt.

Je te rappelle également que lorsque tu te demandes si tu as faim et que tu l'ignores ou que la réponse tarde à se manifester, voilà une indication passablement évidente que tu n'as pas faim. C'est comme si tu t'interrogeais pour savoir : *Est-ce que je veux me marier avec X ?* et que la réponse tardait à venir… Face à cette hésitation, tu aurais certainement avantage à valider tes sentiments avant toute chose et te demander si tu es réellement prêt à te marier.

Les six motivations pour s'alimenter autres que l'écoute de nos besoins

Ces différentes motivations sont : par principe, par habitude, par émotion, par gourmandise, pour te récompenser ou par paresse. Souviens-toi que, lorsque tu t'alimentes au moment où tu n'as pas vraiment faim, il t'est alors impossible de vraiment connaître ce dont tu as besoin. Par conséquent, tu t'alimentes pour une de ces six raisons. Lorsque tu as vraiment faim, si tu prends le temps de vérifier ce dont tu as besoin, il t'est alors facile de savoir ce dont ton corps a besoin. Cependant, il est aussi possible que, malgré une faim véritable, tu sois motivé par une des six raisons expliquées ci-après.

Tu es motivé par *principe* lorsque tu manges ou bois, influencé par ta notion de bien/mal ou de peur. Dans cette catégorie, on retrouve les situations suivantes :

- Peur de gaspiller. Manger ou boire une substance quelconque (liquide ou solide), avant que celle-ci ne se perde ou que la date ne soit périmée. Finir son assiette plutôt que d'en jeter les restes. Terminer même l'assiette des autres. Manger tout ce qu'offre le menu à prix fixe, par exemple le pain, l'entrée et le dessert, parce que ceux-ci sont inclus dans le repas. Choisir l'aliment le moins cher, soit au restaurant ou au marché, même si ce n'est pas celui qu'on désire. Se priver parce que le prix est trop élevé, alors qu'on sait qu'on pourrait se le permettre financièrement

- Peur de déplaire. Incapable de dire non à quelqu'un qui nous offre à manger ou à boire, alors que ce n'est pas notre intention première

- Peur de dire qu'on n'aime pas un certain aliment après y avoir goûté

- Peur du jugement. Faire comme les autres, par crainte de ce qu'ils vont penser ou dire de soi

- Peur des conséquences. Manger par obligation, sans plaisir, seulement pour nourrir son corps.

Tu es motivé par *habitude* lorsque :

- Tu manges souvent ou toujours la même chose. Par exemple : 2 toasts au beurre de cacahuètes au petit déjeuner, ou 2 croissants trempés dans le café

- Tu manges souvent ou toujours à la même heure

- Tu agis de la façon apprise depuis l'enfance, comme prendre trois repas par jour, ne jamais sauter le petit déjeuner, etc.

- Tu arrêtes de manger seulement lorsque ton assiette est complètement terminée voire même bien nettoyée avec un morceau de pain.

- Tu hésites ou refuses d'essayer un nouvel aliment, parce que tu n'y as jamais goûté.

Tu es motivé par *émotion* lorsque :

- Tu sais que tu n'as pas vraiment faim mais quelque chose en toi te pousse à manger ou à boire quand même

- Tu te demandes *Qu'est-ce que je pourrais bien manger ?* en ignorant quel aliment choisir et en sachant que ce n'est pas par principe ou par habitude

- Tu éprouves de la colère, de la frustration, de la peine, que tu te sens seul et que tu manges ou bois à défaut de pouvoir te défouler dans ou sur quelque chose.

Tu es motivé par *gourmandise* quand tu es influencé par un ou plusieurs de tes cinq sens :

- Tu manges ou bois parce que ça sent bon

- Tu ne peux t'arrêter parce que c'est tellement bon

- Tu es attiré par un certain aliment après l'avoir vu, alors que, quelques minutes auparavant, tu n'y avais pas pensé
- Tu ne peux t'empêcher de piocher dans les plats qui s'offrent à tes yeux
- Tu veux manger la même chose que l'autre personne à côté de toi
- Tu es attiré par un aliment après l'avoir touché ou senti – tu aimes sa texture ou son odeur – comme le pop-corn au cinéma
- Quand tu te laisses influencer par ce que tu entends, par exemple la description enthousiaste d'un aliment, par un serveur au restaurant.

Tu es motivé par le besoin de *récompense* lorsque :

- Tu viens de terminer une tâche dont tu es fier et, ce faisant, tu es porté à manger ou boire quelque chose, sachant fort bien que ce n'est pas nécessaire à ce moment-là
- Tu as dépassé tes limites, tu as travaillé sans relâche, sans prendre un temps de répit, et crois que manger va te détendre
- Tu te sens frustré parce que personne ne te complimente et, qu'en l'occurrence, tu manges n'importe quoi. (Cette situation peut également se retrouver dans la colonne des émotions).

Tu es motivé par *paresse* lorsque :

- Tu acceptes ce que l'autre décide de cuisiner plutôt que d'avoir à le préparer toi-même

- Tu te retrouves seul et que tu choisis un mets qui ne demande aucune préparation
- Tu choisis de ne pas manger, plutôt que d'avoir à cuisiner
- Tu t'achètes un plat préparé ou surgelé, à la sortie du travail, en vue du repas suivant.

Je te rappelle que tu peux prendre une boisson pour plusieurs des raisons contenues dans les six motivations précédentes, même s'il n'y est mentionné que le mot « manger ». Au moment où tu te demandes *Qu'est-ce que je pourrais bien boire ?* il est important de garder en mémoire que c'est de l'eau dont ton corps a besoin. Ainsi, chaque fois que tu bois autre chose, tu dois le noter dans une des six dernières colonnes.

Parallèlement, il est possible que tu aies à cocher plus d'une des six dernières colonnes pour un même aliment, par exemple, manger des bonbons par émotion et par récompense.

Lien entre les événements du quotidien et la motivation

Dans la colonne LIEN, tu peux prendre le temps de noter si quelque chose de particulier s'est déroulé, les heures ou les minutes précédant le moment où tu as bu ou mangé, sans réellement en avoir besoin.

Revenons au tableau mentionné plus haut, d'une journée courante de Rita. On peut présumer que celle-ci réalisera que plusieurs cafés ingurgités coïncident avec le stress vécu à son travail, et qu'en plus, elle n'avait pas envie de s'y rendre ce jour-là. Le midi, elle a dû s'occuper d'une urgence pour sa mère et, faute de temps, elle s'est retrouvée au McDonald's. Par la suite, la bière prise en compagnie d'une amie à la fin de son travail l'a aidée à se détendre et à se récompenser, car elle appréhendait le retour au foyer en raison du stress familial. Les biscuits du soir se veulent un réconfort qu'elle utilise souvent, lui rappelant une douceur de son enfance. En effet, sa maman lui offrait toujours en collation du lait, accompagné de biscuits, avant d'aller au lit. Par ailleurs, ses deux toasts du matin font partie de son traditionnel petit déjeuner depuis plusieurs années. Son repas du soir, quant à lui, peut avoir été dégusté par faim véritable. Par contre, il se peut que le dessert soit une habitude – si elle en mange à la fin de chaque repas – ou par gourmandise ou récompense.

Après avoir rempli ton registre de nourriture de tous les jours, de préférence à la fin de la journée – ou à chaque repas si cela te convient mieux – et non plusieurs jours plus tard (car tu risques d'oublier des données importantes), tu trouveras intéressant de faire la compilation à la fin de la semaine. Tu additionnes toutes les colonnes pour vérifier ce qui a été le plus marquant pour toi cette semaine-là. Tu vérifies, en plus, combien de fois tu as mangé par *Faim*. Tu auras ainsi l'occasion de découvrir à quel degré ou dans quelle mesure tu écoutes tes vrais besoins, et ce, selon le moment concerné.

Interprétation des cinq motivations

Maintenant, voici comment interpréter ce résultat.

MANGER PAR PRINCIPE OU HABITUDE signifie que tu te laisses, en général, **trop contrôler ou manipuler par tes croyances**. Ces dernières proviennent principalement de l'éducation et de ce que tu as appris dans ton enfance et ton adolescence. C'est donc le passé qui dirige ta vie. Il y a plusieurs peurs qui t'empêchent d'écouter ton intuition, tes besoins véritables. En conséquence, tu dois sûrement passer à côté de multiples occasions intéressantes. De plus, il est fort probable que tu fasses partie de ceux qui résistent aux nouvelles idées ou suggestions provenant des autres.

Bref, la personne qui ne prend pas le temps de se demander si elle a faim et qui mange par principe ou par habitude est celle qui se laisse diriger par la notion de bien/mal, supposé/pas supposé, correct ou non. C'est donc son ego qui contrôle son estomac. Ce genre de personne a aussi de la difficulté à se faire plaisir ou à goûter aux plaisirs de la vie, croyant qu'il est mal de le faire tant que ses tâches ne sont pas terminées. Elle peut également croire que le plaisir des autres doit passer avant le sien. C'est souvent le genre de personne à acheter un article au lieu de celui qu'elle veut vraiment dans un magasin.

MANGER PAR ÉMOTION signifie que tu vis beaucoup plus d'émotions – consciemment ou non – que tu ne veux bien l'admettre. Tu es du genre à essayer de te couper de ton « ressenti ». Il se peut que tu éprouves de la colère, de la frustration, de la déception, de la peine ou de la solitude, etc., mais que tu essaies le plus possible d'éviter d'aller trop en profondeur et de sentir la douleur associée à ces émotions. C'est un moyen que plusieurs personnes utilisent, croyant ainsi moins souffrir. Il est important de se souvenir que, lorsque tu éprouves des émotions, cela implique que tu as beaucoup d'attentes. **Tu t'attends à ce que les autres te démontrent leur amour ou leur affection, et ce, de la façon qui te convient.** Comme personne n'est responsable du bonheur des autres, toutes les fois où tes attentes ne sont pas comblées, tu tentes de remplir ce vide intérieur par de la nourriture. A priori, nous éprouvons souvent des émotions lorsque nous confondons AIMER et PLAIRE.

MANGER PAR GOURMANDISE signifie que tes sens sont insatisfaits psychologiquement et que, généralement, tu te laisses influencer par eux dans ta vie. C'est-à-dire par ce que tu vois, entends et ce que tu ressens chez les autres. En majorité, cela est causé par le fait que tu te sentes responsable du bonheur des autres. Tu dois te sentir souvent obligé de faire quelque chose pour les gens en difficulté. Sache que les personnes qui se croient responsables du bonheur ou du malheur des autres ressentent souvent de la culpabilité, et cette dernière se reflète dans leur façon de s'alimenter, au même degré qu'elles se sentent coupables face aux autres. De plus, il est fort probable que tu aies du mal à laisser ceux que tu aimes décider de leurs choix, surtout ceux avec lesquels tu n'es pas d'accord. **Ton bonheur dépend du bonheur des autres et cela crée un état de manque que tu tentes de combler avec de la nourri-**

ture, au lieu d'apprendre à remplir ton cœur en répondant à tes vrais besoins.

MANGER POUR TE RÉCOMPENSER signifie que tu es le genre de personne à t'en demander beaucoup, souvent au-delà de tes limites. **Tu es possiblement de nature perfectionniste et tu attends de faire ou réaliser quelque chose d'extraordinaire avant de te récompenser.** Vraisemblablement, tu t'attends souvent à ce que les autres te reconnaissent, te félicitent ou te fassent des compliments. Comme il n'y a personne sur cette terre qui ait le pouvoir d'assurer le bonheur des autres, la plupart d'entre nous éprouvent de la déception, voire même de l'amertume, suite à nos attentes non comblées.

Il se peut, en plus, que tu sois du genre à ne pas reconnaître les récompenses que tu te permets, portant plutôt trop d'attention à tout ce que tu as à faire.

MANGER PAR PARESSE signifie que tu es probablement plus dépendant des autres que tu ne le crois. Lorsque tu es en présence de ceux que tu aimes, tu dois être une personne différente, comparé aux moments où tu es seul. Tu dois agir en conséquence de leurs choix. Cela signifie que tu ne te crois pas assez important. La présence des autres t'apporte ce faux sentiment d'importance. **Tu ne crois pas assez en ta valeur personnelle pour prendre le temps d'écouter tes besoins.** Il se peut aussi que, lorsqu'une autre personne te prépare quelque chose de bon à manger, tu aies l'impression de recevoir une certaine forme d'amour de ta mère, ce qui te rappelle ce bonheur ou cette lacune.

★

Quand tu découvres que tu n'as pas beaucoup été à l'écoute de tes besoins en remplissant ce registre, prends garde de ne pas culpabiliser. L'objectif principal de cet exercice est de te connaître et non d'ajouter un autre stress dans ta vie. Dans les deux derniers chapitres, tu apprendras l'attitude à développer pour vivre cette expérience dans l'acceptation.

Compulsion

Je n'ai pas, de façon spécifique, mentionné d'endroit sur ce registre de nourriture pour noter si parfois tu manges ou bois par COMPULSION. Afin de mieux t'éclairer, ce terme est utilisé lorsqu'une personne commence à absorber des aliments solides ou liquides jusqu'à ne plus savoir ou pouvoir s'arrêter. Elle commence d'abord parce qu'elle a faim ou pour une tout autre raison, comme par émotion, et tout à coup, elle ne peut ou ne sait plus s'arrêter. Par exemple, s'attaquer au bac de glace au complet, ou au sachet de chips, ou à la boîte de chocolats. Une autre personne, pour sa part, peut avoir envie de manger des spaghettis, en prendre une portion qui normalement serait suffisante, mais sans s'en rendre compte, elle en reprend encore et encore. Elle a commencé à se rassasier par la faim, laquelle est devenue par la suite de la compulsion. Cette attitude est très fréquente au moment du dessert où, la plupart du temps, la personne n'a plus faim mais continue tout de même d'engloutir plusieurs portions de dessert.

Cette situation est une indication d'un très grand manque d'estime et d'amour de soi. Si tu te vois parfois dans ce genre de situation, il est important de te demander ce que tu as vécu dans les dernières heures pour te mépriser de cette manière, aussitôt que tu en es conscient. C'est comme si ton cœur était à ce point vide d'amour pour toi-même, que tu essayais de le remplir avec des aliments et que tu réalisais que même si tu remplis ton estomac à satiété, ton cœur lui se sent toujours aussi vide. Pourtant, il a seulement besoin que tu te fasses quelques compliments bien sentis et que tu reconnaisses tout ce qui est beau et bien à l'intérieur comme à l'extérieur de toi.

Les personnes qui sont le plus portées à ce genre de compulsion sont celles qui se rejettent de façon systématique, qui sont beaucoup trop exigeantes envers elles-mêmes. Rien n'est jamais assez parfait à leur goût. De plus, leur niveau d'amour de soi est si bas qu'elles sont convaincues que personne au monde ne peut les aimer pour ce qu'elles sont. Elles s'avèrent donc d'éternelles insatisfaites, quoi que les autres disent ou fassent pour elles.

Lorsque tu te rends compte que tu as agi par compulsion au moment où tu remplis ton registre de nourriture, il est important de le noter dans la colonne LIEN.

Rétrospective

Cette colonne, où tu notes tous les liens que tu es en mesure de faire entre les incidents de la journée et ta façon de t'alimenter est très importante. Elle te permet en effet de faire une rétrospective beaucoup plus en profondeur. Ça ne veut pas dire que tu doives tout régler au fur et à mesure. Par contre, le fait d'en être rapidement conscient te permet d'effectuer des rectifications dans ta vie, lesquelles apparaissent bien souvent à ton insu.

Quand tu te rends compte que ce n'était pas par faim véritable que tu as absorbé la majorité des aliments ou boissons dans la journée, tu sais alors que tu n'étais pas maître de toi, que tu n'écoutais pas tes besoins et que tu ne t'aimais pas assez. Ce constat indique que tu as dû essayer de te contrôler ou de contrôler quelqu'un d'autre au cours de la journée et que, parallèlement, tu as perdu le contrôle pour l'alimentation. Si tu te réfères au premier chapitre de ce livre, tu seras en mesure de faire un lien avec l'une de tes blessures qui a été activée, laquelle t'a fait réagir. On a alors tendance à tomber dans le contrôle, ce qui nous empêche d'être maître de soi.

Revenons à nouveau à l'exemple de Rita mentionné plus haut. Quand elle note qu'elle a bu plusieurs cafés dans sa journée et qu'elle prend conscience du fait qu'elle n'avait pas vraiment envie de travailler ce jour-là, cela peut l'aider à réaliser que son travail ne la stimule plus beaucoup, qu'il lui manque des défis, du fait qu'elle connaît tout de ce travail. Même si elle ne prend pas de décision le soir où elle remplit son registre, elle est déjà en train de rechercher une solution. Doit-elle se trouver un autre emploi ? Doit-elle rencontrer son patron pour lui faire part de cette impression et de son manque de motivation, afin qu'ensemble ils voient si une autre tâche la motiverait davantage ? A-t-elle besoin de se trouver un stimulant extérieur, par exemple un hobby ou un sport excitant ?

Aussi, il est possible qu'elle devienne consciente que c'est sa blessure d'injustice qui l'a empêchée, jusqu'à maintenant, d'être consciente de cette insatisfaction vécue à son travail, par peur de prendre une mauvaise décision. Ou sa blessure d'abandon qui lui fait croire que son mari sera très déçu si elle quitte ce travail alors qu'elle perçoit un bon salaire. C'est donc sa peur de déplaire à son mari qui, ici, en serait la cause.

Comme tu peux voir, le fait de tout noter au fur et à mesure aide beaucoup à voir les choses telles qu'elles sont, et à les remettre en perspective. Peu à peu, à l'aide de plusieurs indices repérés jour après jour, il devient beaucoup plus facile de reconnaître nos vrais besoins et de les écouter davantage.

Je te rappelle l'importance de remplir ce registre journalier à la fin de chaque jour et de faire le bilan au bout d'une semaine. C'est le moyen par excellence d'utiliser cet outil. Voilà pourquoi il est préférable d'écrire une semaine complète sur une feuille recto verso. C'est ce bilan qui va t'aider à te connaître vraiment. Chaque jour, en remplissant le registre, il est certain que tu deviendras conscient de plusieurs aspects de ta personne, qu'il aurait été difficile de déceler si ce n'était à l'aide de ce registre.

Au bout d'une semaine, tu seras plus conscient de ce qui influence davantage ta vie en ce moment, en voyant ce qui t'incite le plus à manger lorsque tu n'écoutes pas tes besoins. Rappelle-toi, surtout au début, de vérifier quelles blessures ont été le plus activées, et ce, avec les exemples de contrôle suggérés au premier chapitre de ce livre.

Tu verras que parfois tu te contrôles toi-même, parfois tu veux contrôler les autres et d'autres fois, tu laisses les autres te contrôler. Ces trois façons de contrôler indiquent que tu n'es plus capable d'organiser ta vie. Tu essaies, à la place, d'avoir le pouvoir sur les autres ou tu laisses les autres s'emparer du tien.

Peu à peu, en faisant de plus en plus de liens avec ta façon de t'alimenter et le contrôle qui la sous-tend, tu sauras plus facilement ce qui s'y cache, toutes les fois où tu manges par principe, par habitude, par émotion, par gourmandise, pour te récompenser ou par paresse.

Quand tu t'aperçois au cours d'une semaine que tu as mangé beaucoup plus souvent par faim, tu seras heureux de constater que tu as mieux écouté ton corps. Tu deviens alors conscient que tes blessures ont été moins présentes, que tu as été davantage toi-même, une indication que tu t'aimes et t'acceptes plus.

Les deux ou trois premières semaines seront les plus laborieuses, surtout si tu as du mal à te discipliner. Cependant, le fait que tu sois en train de lire ce livre est une indication que tu es prêt à vivre de nouvelles expériences. Trouve un moyen de te motiver afin de remplir ce registre chaque soir. Ça pourrait être la joie d'être davantage le maître de ta vie. Ou bien, retrouver ta santé ou ton poids idéal. Ça peut aussi être une récompense au bout de la semaine, après avoir rempli ton registre. Par exemple, boire ou manger quelque chose, ou t'acheter quelque chose dont tu n'as pas besoin, ou faire une sortie, et ce, seulement pour ton plaisir. Peu importe la récompense, sache que tu la mérites et prends le temps de bien la savourer. Je te précise que tout ce que tu bois ou manges SANS CULPABILITÉ, AVEC AMOUR, ne peut te faire aucun tort. En fait, c'est tout le contraire qui pourrait se produire…

De plus, ce serait une bonne idée d'installer un écriteau ou un autre objet qui te fasse penser à remplir ce registre. Au bout de deux ou trois semaines, ça deviendra une habitude et ce sera beaucoup plus facile. Et surtout, tu seras tellement emballé par ce que tu découvriras de toi que tu auras de plus en plus le goût de poursuivre l'expérience.

Cette habitude doit donc être soutenue pendant un minimum de trois mois, pour disposer d'une idée nette et précise de ce qui se passe au plus profond de toi. Par la suite, tu peux arrêter quelques mois, mais ce serait toutefois une excellente idée que de recommencer un peu plus tard. Par exemple, trois mois de registre et trois mois d'arrêt, ensuite trois mois de registre et trois mois d'arrêt et ainsi de suite. Cela te permettra de vérifier si tu es capable de continuer à te poser les bonnes questions, à savoir si tu as VRAIMENT FAIM et de quoi ton corps a besoin, sans avoir à te le rappeler chaque soir en remplissant un registre.

Une dernière suggestion pour terminer ce chapitre qui peut aider les fumeurs à se connaître davantage consiste à noter en plus sur leur registre ce qui les motive à fumer. Une personne m'a raconté avoir découvert d'autres aspects sur elle en faisant cet exercice.

Le fait de tout écrire ainsi à la fin de chaque jour aide énormément à apprendre à s'accepter. Le secret est de tout écrire sans aucun jugement, en se rappelant que nous voulons seulement nous connaître davantage.

CHAPITRE CINQ

L'alimentation et le poids

Selon toi, est-ce possible que ce soit autre chose que l'alimentation qui s'avère la cause d'un surplus de poids ? Eh bien oui, c'est possible. L'objectif de ce chapitre vise à t'aider à réaliser combien l'attitude intérieure d'une personne affecte son choix, dans les aliments déterminants à faire grossir ou non.

Tu as certainement constaté parmi les gens qui t'entourent que plusieurs d'entre eux mangent ce qu'ils désirent et quand ils le désirent, tout en conservant, malgré tout, le même poids année après année. Tu en as peut-être observé d'autres qui, aussitôt qu'ils commettent un petit excès alimentaire, se mettent à grossir. Certaines personnes pourraient dire : *Oui, mais c'est causé par leurs gènes.* Je répondrais alors : *Se peut-il que les gènes hérités avant la naissance aient un lien avec le plan de vie de ces gens ?*

J'ai pu observer ce fait chez des milliers de personnes depuis 1981, année où je suis devenue consciente du lien entre l'attitude intérieure et le poids. En écrivant ce livre, je vérifie déjà depuis vingt-huit ans la véracité de ma synthèse et je ne me lasse jamais d'observer et de découvrir de nouvelles données. Je suis heureuse de constater que, depuis plusieurs années, nous entendons de plus en plus parler de ce lien entre l'attitude et le poids, et ce, de la part de médecins, de nutritionnistes, de psychologues, etc.

Mon propos n'est pas de laisser entendre que l'alimentation n'est pour rien dans le problème d'embonpoint. Il est vrai que, lorsque nous ne sommes pas nous-mêmes, nous n'écoutons pas les besoins de notre corps et nous sommes portés à lui donner des aliments dont il n'a pas besoin et qu'il doit alors « stocker ». Ce chapitre a surtout pour objectif de devenir conscient de l'importance de l'influence de l'attitude intérieure sur les problèmes de poids.

Alors, quelle est l'attitude qui détient autant d'influence sur le poids d'une personne ? Pour commencer, il est impératif d'accepter le fait que nous possédons tous un poids biologique naturel qui nous convient. Ce sont les compagnies d'assurances qui, les premières, ont établi le barème de poids idéal sur lequel se baser, pour savoir si une personne est considérée obèse ou non. Ce barème est maintenant utilisé par tous ceux qui s'intéressent au poids. J'abonde également dans ce sens, à savoir qu'il y a un grand nombre de gens qui se retrouvent bien au-delà de leur poids naturel et que ce barème aide, de façon réaliste, à se baser sur un critère général. Pour les intéressés, vous pouvez trouver sur Internet comment calculer votre indice de masse corporelle (IMC) qui vous aide à découvrir si vous faites partie des personnes souffrant d'embonpoint ou d'obésité.

Je suis convaincue que si tous les enfants apprenaient dès leur enfance combien l'attitude intérieure est importante, il y aurait très peu d'obésité sur cette planète. Bien sûr, il y aurait des gens plus minces que d'autres, mais le poids naturel de chaque personne serait beaucoup plus facile à maintenir, si chacun d'entre eux adoptait le plus tôt possible une attitude intérieure saine.

J'ai le plaisir de constater et d'attester cette réalité avec mes enfants et petits-enfants. En effet, au moment où j'ai pris conscience du lien entre l'attitude et le poids, mes enfants étaient alors âgés respectivement de 13 ans, 15 ans et 19 ans. Aujourd'hui, vingt-huit ans plus tard, mes trois enfants n'ont jamais dévié de leur poids naturel. Bien sûr, leur corps s'est transformé avec les années, mais ce phénomène s'avère naturel, et ce, au fur et à mesure que notre attitude change. Je constate aussi que mes petits-enfants qui sont, comme la plupart, des enfants de « l'ère nouvelle », écoutent naturellement leur corps et qu'il est impossible de leur faire avaler quelque chose quand ils n'en veulent pas ou n'ont pas faim.

Cette attitude intérieure est affectée et influencée par les blessures avec lesquelles nous sommes nés. Puisque nous avons au moins quatre des cinq blessures mentionnées au premier chapitre, j'ai remarqué que la plupart des gens sont davantage influencés par une blessure plutôt qu'une autre dans leur façon de s'alimenter. Tout dépend de ce qu'ils ont vécu dans leur façon de recevoir la nourriture affective de leur mère, et ce qu'ils ont retenu de cette dernière dans leur enfance au sujet de l'alimentation.

Dans l'ordre des choses, c'est la mère qui nourrit son enfant. Elle détient donc une énorme influence sur le choix de son enfant, à savoir si ce dernier aimera ou non ce geste maternel. En réalité, elle va le nourrir selon ce qui se dégage de lui, selon les blessures sur lesquelles cette âme a besoin de travailler, et ce, inconsciemment. C'est ce qui explique pourquoi une maman nourrit ses enfants d'une façon distincte, qui est propre à chacun d'eux. Les mamans qui en ont plusieurs affirmeront qu'elles agissent d'une façon différente avec chacun d'entre eux, parce qu'avec le temps, elles changent d'habitudes de l'un à l'autre. Mais la plupart d'entre elles ne sont pas conscientes que c'est plutôt ce qu'elles ont à apprendre – la maman en rapport avec cet enfant et celui-ci en rapport avec sa mère – qui influence fortement leur façon de nourrir chacun d'eux.

L'enfant qui doit travailler sur sa blessure d'humiliation, par exemple, s'attirera une maman qui aura à travailler également cette même blessure, afin que tous les deux puissent faire leur processus de guérison. Cette loi immuable, du fait que tout ce que nous attirons provient de l'intérieur de nous, existe partout dans le monde. Personne ne peut la contourner, et il en est de même pour toutes les blessures. **Nous attirons les personnes et les situations dont notre âme a besoin, afin d'apprendre l'amour véritable et l'acceptation inconditionnelle.**

Si tu as modifié complètement ta façon de t'alimenter ou que tu es aux prises avec un surplus ou une perte de poids soudain, cela indique l'activation d'une autre blessure. Ce que tu as vécu à ce moment-là s'est avéré assez important pour prendre le dessus. Examinons ensemble quelle est la blessure qui t'a marqué.

L'influence de la blessure
de rejet sur le poids

L'attitude intérieure d'une personne dont le corps renferme cette blessure est *Je ne suis rien… je dois prendre le moins de place possible… même si je disparaissais, personne ne s'en apercevrait… les plaisirs physiques ne m'intéressent pas… j'aime mieux alimenter mon mental…* Avec une telle attitude intérieure, il est donc impossible pour ce genre de personne de prendre du poids, du fait qu'elle veut disparaître, prendre le moins de place possible, se rendre presque « invisible ». Celle-ci est portée à très peu s'alimenter et, même si elle mange plusieurs fois par jour, ou même si elle choisit des aliments réputés faire grossir, rien n'affectera réellement son poids. En outre, ces personnes, étant du type nerveux, possèdent généralement un métabolisme rapide, ce qui est une autre raison pour laquelle elles ne prennent pas de poids. Par contre, elles usent davantage leur système digestif.

On retrouve dans cette catégorie de personnes celles qui ont rejeté la façon qu'avait leur maman de les nourrir physiquement, mais surtout affectivement. Elles ne se sont pas senties aimées et acceptées dans ce qu'elles étaient, et ce, probablement dès la naissance.

Ces personnes sont les spécialistes du déni. Par exemple, elles prétendront et tenteront même de se faire croire qu'elles ne mangent jamais de sucre, alors que c'est faux. Elles affirmeront qu'elles n'aiment pas ceci, cela, sans réaliser que ce « déni alimentaire » provient du fait qu'elles ne prennent pas le temps de vraiment savourer les aliments. Par ailleurs, la blessure de rejet est très souvent à l'origine du problème d'alcool et de drogue, mais ces personnes refusent d'admettre qu'elles puissent avoir un problème de cet ordre, en raison de leur facilité à nier la réalité.

L'influence de la blessure d'abandon sur le poids

L'attitude intérieure d'une personne qui souffre d'abandon peut, entre autres, se percevoir dans les affirmations suivantes : *J'ai besoin de plus d'attention, de support, de soutien, je n'en ai jamais assez.* Ceux qui entretiennent cette attitude de « jamais assez » sont du genre à pouvoir ingérer une grande quantité de nourriture pour se remplir, sans grossir pour autant. Ces personnes ont souvent reçu beaucoup d'attention de leur mère, ou celle qui en a joué le rôle, mais comme elles croient n'en avoir jamais assez reçu, ayant retenu davantage leur carence, elles ne sont pas en mesure de reconnaître ce fait.

Elles cherchent donc toujours à combler ce vide avec le parent du sexe opposé, convaincues que, si ce parent leur prouve son amour en leur démontrant de l'attention, cela indique qu'elles sont aimables et dignes de le recevoir. Elles croient également qu'avoir de l'attention est le seul moyen de se sentir remplies d'amour. Lorsqu'elles ne reçoivent pas l'attention ou le soutien qu'elles désirent, elles se sentent alors abandonnées. Elles jettent donc leur dévolu dans la nourriture sans toutefois prendre un seul kilo, car elles entretiennent la croyance du « pas assez ». Ces abus affectent leur système digestif, tout comme chez les personnes souffrant de rejet.

L'influence de la blessure d'humiliation sur le poids

L'attitude intérieure des gens qui souffrent de cette blessure s'avère différente des autres blessures. Pourquoi ? Parce que tout ce qui concerne la satisfaction des sens procure un fort sentiment d'importance et de plaisir pour ces gens. En effet, ceux qui naissent avec cette blessure ont besoin d'apprendre à savourer pleinement les plaisirs apportés par leurs cinq sens physiques, SANS SE SENTIR COUPABLES et surtout sans considérer qu'ils sont indignes de l'amour de Dieu.

Une telle personne se met déjà, alors qu'elle est encore très jeune, dans des situations où elle se fait humilier quand elle cherche trop à se faire plaisir sensuellement. Toutefois, elle apprend très tôt qu'il n'est pas bien d'être sensuelle. Elle attire ce comportement négatif de la part de ses éducateurs pour l'aider à devenir consciente qu'elle croit à la même chose, ce qui s'avère en fait une fausse croyance.

Si tu fais partie des personnes qui souffrent de cette blessure d'humiliation, tu dois certainement te souvenir de plusieurs incidents où tes parents ou éducateurs te reprenaient surtout au niveau physique. Par exemple, lorsque tu salissais tes vêtements ou que tu mangeais beaucoup plus que les autres ou que tu attirais les regards avec des mouvements sensuels. Tu dois être, de plus, quelqu'un de très spirituel, avec l'intention de plaire à Dieu par tous les moyens possibles. Ce sont les gens renfermant cette blessure qui ont le plus peur d'être indignes face à Dieu.

Observons par exemple ce qui se passe aux États-Unis. Nous savons que c'est un pays où le mot « dieu » se retrouve souvent dans les conversations. Même les présidents offrent l'image de personnes croyantes et religieuses, qui assistent à la messe tous les dimanches. J'ai entendu dire qu'ils sont les seuls à être munis d'une monnaie où le mot « dieu » est inscrit *In God we trust*[1]. Ils sont aussi connus pour prononcer souvent *God bless you*[2].

Ce pays est également connu pour compter le plus grand pourcentage de personnes obèses au monde. Parallèlement, Dieu et la religion sont très importants dans leur vie, pour la majorité d'entre eux et, de ce fait, ils ressentent beaucoup de culpabilité à l'idée de rechercher le plaisir dans la consommation physique ou par les sens.

L'attitude intérieure des gens qui souffrent d'humiliation est *Je mange encore quelque chose qui fait grossir... je suis sale... je suis trop gourmand... je devrais arrêter, sinon je vais encore grossir... je suis tellement gros, alors qu'importent quelques kilos de plus... je n'arriverai jamais à maigrir, autant me faire plaisir*. Ce que la plupart ne réalisent pas, c'est qu'en raison de leur grande culpabilité et des pensées dénigrantes envers eux-mêmes, ils ne sont pas en mesure d'éprouver de plaisir véritable.

---

1. En Dieu nous croyons.
2. Que Dieu te bénisse.

En résumé, ces personnes ont appris étant jeunes qu'il n'était pas bien de jouir de la nourriture, que c'était égoïste de penser d'abord à leur plaisir. On leur a enseigné qu'elles devaient toujours s'occuper du bonheur et du plaisir des autres avant les leurs. Comme elles continuent d'agir ainsi par la suite et ne reçoivent rien en échange, elles se rattrapent sur la nourriture.

Voilà donc pourquoi ce sont ces gens, parmi les cinq blessures, qui grossiront le plus facilement et rapidement. Ce n'est pas tant ce qu'ils mangent, mais leur attitude face à ce qu'ils ingèrent qui fait toute la différence. À l'opposé des deux premières blessures, ils entretiennent l'attitude intérieure du « trop ». Elles diront ou penseront *Je mange encore trop, il faut que je m'arrête.*

Cela explique aussi le fait qu'ils croient souvent ne pas manger plus que les autres, et sont surpris de leur surplus de poids. Par contre, étant profondément attirés par le plaisir des sens, ces derniers perdent fréquemment le contrôle de leur alimentation, se cachant la plupart du temps lorsque cela se produit, envahis par la honte. Il y a aussi le fait que plus quelqu'un se dit qu'il DOIT cesser de manger, plus il mange. Ce phénomène est expliqué plus en détail dans le dernier chapitre. Souviens-toi cependant qu'il existe en ce monde de toutes petites personnes qui peuvent manger autant qu'elles le veulent, et ce, sans prendre un kilo.

Les personnes avec la blessure d'humiliation « grossissent » en voyant leur corps devenir de plus en plus rond. Nous apprendrons dans les deux prochains chapitres comment parvenir à améliorer cette situation, comment lâcher prise face à la culpabilité et comment se faire plaisir à nouveau en s'alimentant, sans pour autant grossir.

L'influence de la blessure de trahison sur le poids

L'attitude intérieure des gens souffrant de trahison est *Je ne veux rien manquer... je veux goûter à tout... je peux faire ce que je veux... je n'ai pas à suivre les règles des autres, ni celles de mon corps... c'est moi qui me contrôle et non les autres...* Dans leur jeunesse, ces personnes se sont souvent senties contrôlées dans leur façon de s'alimenter. Entre autres, ce sont leurs parents qui décidaient pour elles. Elles cherchent donc à se rattraper, aussitôt qu'elles le peuvent. C'est le genre d'enfant qui, lorsque les parents sont absents, mange les aliments défendus par ces derniers.

Je me souviens d'un de mes fils qui, en plus de manger ce qu'il avait envie en mon absence, allait s'installer sur mon beau fauteuil neuf dans le salon. Il connaissait pourtant mon interdiction de consommer de la nourriture dans cette pièce fraîchement décorée. Au retour, je trouvais l'assiette et des restes par terre à côté du fauteuil. À l'époque, j'ignorais pourquoi il laissait de telles traces et s'attirait une punition immanquablement. Je l'accusais de n'être pas très intelligent d'agir ainsi, sachant pertinemment qu'il allait se faire punir. Si, au moins, il avait tout nettoyé avant mon retour, je n'aurais jamais su qu'il m'avait désobéi. Aujourd'hui, par contre, je suis en mesure de comprendre pourquoi il agissait de la sorte. En fait, il me signalait que je ne pourrais jamais le contrôler complètement. De par mon cheminement et mes expériences, je sais maintenant qu'un enfant trop contrôlé par ses parents est influencé par sa blessure de trahison à désobéir pour reconnaître sa propre valeur. N'étant plus contrôlé par moi, une fois devenu adulte, il a décidé de manger aussi souvent qu'il le désirait de la malbouffe. Il me signifiait ainsi qu'il n'avait plus à suivre mes consignes de bonne alimentation.

Les enfants ainsi contrôlés n'ont pas reçu le genre de nourriture affective qui aurait dû normalement combler leurs besoins. L'amour qu'ils ont reçu de leurs parents était trop possessif. Ils ont été éduqués par des parents qui les ont aimés selon leurs croyances, selon ce qu'eux-mêmes avaient appris de leurs propres parents, et non conformément aux besoins de l'enfant.

On sait que ce genre de personne ne savoure pas vraiment les aliments, car celle-ci ajoute trop de sel ou d'épices. Elle essaiera de déguster plus longtemps, n'ayant pas satisfait ses papilles gustatives, lesquelles cherchent à être rassasiées avec le goût de chaque aliment.

De plus, comme cette personne mange souvent rapidement, cela empêche son cerveau de recevoir à temps le message que le corps n'a plus faim. Une telle personne refuse, la plupart du temps, de se faire contrôler par quelqu'un, encore moins par son corps.

Les gens souffrant de la blessure de trahison n'écoutent pas leur corps, du fait qu'ils mangent souvent plus que nécessaire. Ils se sentent donc coupables, car ils savent et sentent qu'ils ont trop mangé. C'est donc cette culpabilité qui les fait grossir. Chez les femmes, ce sont surtout les hanches et le ventre qui auront tendance à prendre du volume, comparativement aux hommes où le surplus se fera plus sentir au niveau des épaules et du ventre. Grâce à cette apparence généralement plus robuste du haut du corps, ces derniers cherchent inconsciemment à démontrer à quel point ils sont forts et capables. C'est pour cette raison qu'on est porté à les qualifier de personnes fortes, plutôt que grosses ou obèses.

L'influence de la blessure d'injustice sur le poids

La personne qui souffre d'injustice entretient l'attitude intérieure suivante : *Je dois être parfait dans tout, surtout en ce qui concerne mes agissements et mon apparence... il est interdit de tricher... je dois toujours faire attention à ce que je mange pour maintenir un corps parfait...* C'est donc la personne qui se contrôle le plus. Étant très exigeante envers elle-même, celle-ci ne pourra supporter de prendre quelques kilos. Elle vérifie son poids sans cesse et se met au régime à la moindre fluctuation de ce dernier. Plusieurs d'entre elles sont pratiquement au régime toute leur vie, de peur de grossir. À chaque fois qu'elles dévient de leur régime imposé, elles se sentent profondément coupables et se promettent alors de ne pas recommencer. Elles y parviennent pendant un certain temps, mais comme nous avons tous des limites, il arrive un jour où il nous est quasi impossible de parfaitement nous contrôler.

Elles tenteront de camoufler leurs faiblesses alimentaires le plus possible et refuseront d'admettre que leurs pertes de contrôle se produisent incessamment et régulièrement. En outre, les personnes habitées par ce type de comportement ne réalisent pas que ces pertes de contrôle dans l'alimentation sont majoritairement causées par le contrôle qu'elles exercent dans les autres domaines, recherchant constamment la perfection dans ce qu'elles font.

Prenons l'exemple d'un jour quelconque où une personne s'est imposé beaucoup de tâches, bien au-delà de ses limites. Il est très probable qu'à la fin de cette journée, elle veuille se « récompenser » et qu'elle perde alors le contrôle dans ce qu'elle mange ou boit. *Je le mérite bien*, se dira-t-elle. En effet, le mérite est très important pour les gens souffrant d'injustice. Celle-ci a donc ignoré ses besoins tout au long de la journée, en raison de la peur de ne pas être parfaite ou de celle d'être jugée paresseuse ou négligente. Voilà pourquoi, après avoir contrôlé toute la journée sa petite voix intérieure qui lui disait qu'elle était arrivée à sa limite, ce genre de personne perd le contrôle.

La nourriture, étant un reflet de ce qui se passe à l'intérieur, s'avère donc un excellent moyen pour se rendre compte à quel moment une personne a été trop exigeante envers elle-même.

Ce genre de personne finit par prendre du poids avec les années mais, en général celui-ci sera réparti uniformément à travers tout le corps. En fait, c'est la culpabilité vécue par cette personne qui la fait grossir. Elle se remet donc au régime et le cercle vicieux recommence. Cette personne est aussi intolérante envers les autres personnes qui grossissent qu'elle l'est vis-à-vis d'elle-même.

Résumé

En résumé, on peut constater que, lorsque ce sont les blessures de rejet et d'abandon qui sont le plus activées, ces personnes ne peuvent grossir, quelle que soit la quantité de nourriture qu'elles consomment. Pourquoi ? À cause de l'intention qui les motive à manger. Les gens qui se voient prendre du poids se retrouvent, par conséquent, influencés par les trois autres blessures, soit l'humiliation, la trahison et l'injustice. Ce poids est réparti différemment dans le corps, en fonction de la blessure en cause.

Suite à l'influence des différentes blessures, quand tu te retrouves parmi l'une des descriptions précitées, cela t'aide à découvrir quelle blessure est plus activée et moins acceptée dans ta vie présente. Il est fort courant d'être influencé par plus d'une blessure, durant une même période. Par exemple, une personne masochiste – blessure d'humiliation – qui, pendant une semaine, ne peut freiner son envie de manger beaucoup de gâteaux et qui, par la suite, se met à la diète. Cette décision de s'imposer un régime sera alors influencée par sa partie rigide – blessure d'injustice.

Je te rappelle que la raison principale qui fait grossir une personne est d'abord la culpabilité, suivie de la non-acceptation d'elle-même, laquelle se situe au même niveau dans la nourriture que dans les autres domaines de sa vie. Moins tu écoutes tes besoins alimentaires, moins tu écoutes tes besoins dans ta vie en général. Voilà la raison pour laquelle tu te sens aussi coupable.

Ça ne veut pas dire que les personnes qui ne prennent pas de poids ne se sentent pas coupables. Loin de là.

Cependant, cette culpabilité affectera leur corps d'une façon différente. Au lieu de prendre du poids, elles auront des problèmes de santé ou des accidents. Lorsque leur culpabilité affecte leur poids, c'est la partie rigide, contrôlante ou masochiste qui a pris le dessus.

On verra dans le dernier chapitre comment transformer cette culpabilité en responsabilité.

Doit-on se peser ou non ?

C'est la personne voulant être parfaite qui est portée à se peser le plus souvent, parfois même tous les jours. On m'a par ailleurs souvent demandé si c'était une bonne idée de vérifier son poids régulièrement. Comme je fais partie des personnes avec une blessure d'injustice importante dans cette vie, je peux facilement comprendre celles qui ont de la difficulté à voir leur corps grossir, surtout si elles n'ont jamais eu de problème de poids auparavant.

Pour ma part, cela s'est produit au moment de la ménopause et je dois avouer que le pèse-personne n'était pas un instrument favorable pour moi. Aussitôt que je voyais mon poids grimper, je me sentais davantage coupable de manger à ma faim, croyant que je devais me priver. Lorsque la balance affichait une baisse, c'est comme si elle me donnait la permission de me « gâter » un peu plus. Donc, si cet appareil produit ce genre d'effet sur toi, je te répondrai d'emblée que ce n'est probablement pas une bonne idée de vérifier ton poids trop souvent. Je connais des personnes qui sont tellement influencées par les chiffres qu'indique leur balance, que ça affecte leur humeur de la journée.

Par contre, si tu souhaites connaître occasionnellement ton poids, sans que cela influe trop sur ta façon de te nourrir ainsi que sur ton estime personnelle, conserver une balance chez toi ne peut assurément pas te nuire. Généralement, nos vêtements nous indiquent assez clairement ce qui se passe, sans qu'on ait sans cesse besoin de vérifier les variations de notre poids.

Joindre les groupes
de soutien pour la perte de poids

Une autre question m'est fréquemment posée : *Est-ce une bonne idée de rejoindre un des nombreux mouvements qui ont pour mission d'aider un groupe de personnes à perdre du poids ?* Il m'est impossible de te fournir une réponse à cette question. Je te suggère plutôt de te poser les questions suivantes, lesquelles t'aideront à trouver ta propre réponse : *Est-ce que je me sens coupable si je déroge au programme suggéré ou encore quand on me pèse lors de la réunion et que j'ai pris un kilo durant la semaine ?... Est-ce que je me sens mieux après ces rencontres ?... Est-ce que les suggestions de repas proposées m'aident à m'alimenter plus sainement, sans avoir l'impression d'avoir toujours faim ?* Si tu t'aperçois que, dans l'ensemble, le fait de rejoindre l'un de ces groupes te procure beaucoup plus de sensations agréables que désagréables, alors pourquoi pas ? Il est important de développer notre discernement dans la vie et surtout de prendre des décisions qui sont intelligentes et pertinentes pour soi. On doit reconnaître que rien n'est bon pour tout le monde, et ce, peu importe le domaine. Chacun de nous a des besoins différents. Nous devons faire nos propres choix et prendre nos propres décisions, et non décider en fonction d'une expérience qui a fait du bien à quelqu'un d'autre.

Si tu n'es pas certain que les réponses te fassent du bien, il serait judicieux de vivre l'expérience pendant au moins trois mois, et ainsi ce serait plus facile de reconnaître ce qui est préférable pour toi.

Conscientiser et grossir

Un certain phénomène se produit assez régulièrement dans nos ateliers, surtout chez les femmes. Nous constatons qu'une participante s'aperçoit qu'elle prend quelques kilos au moment où elle commence à devenir plus consciente de ses croyances, de ses blessures et de ses peurs. Ce phénomène semble se manifester davantage chez celles avec la blessure d'injustice. Pourquoi ?

Parce qu'elles ont beaucoup vécu dans le contrôle jusqu'au jour où elles décident de se prendre en main, qu'elles réalisent enfin qu'elles sont incapables de continuer à vivre dans cet état. Si tu fais partie de ce groupe de personnes, ne te décourage surtout pas. Cela signifie que ton poids naturel n'avait pas encore été atteint et que ton corps, n'étant plus autant contrôlé, a décidé de retourner à son état naturel. En conséquence, ça demandera un ajustement plus ou moins important de ta part dans cette situation.

Si ce n'est pas le cas et que tu grossis au-delà de ton poids naturel, c'est probablement parce que tu n'en pouvais vraiment plus de te contrôler autant. La décision

– souvent inconsciente – de transformer une attitude en une autre peut te faire te retrouver à l'autre extrême. Tu es devenue incapable de contrôler ton corps. C'est comme si tu tenais un balancier fortement penché d'un côté et qu'au moment où tu le laissais aller, celui-ci s'envolait de l'autre côté puis se balançait d'un côté à l'autre, pour terminer sa course au milieu. Il en sera de même pour toi, si tu fais confiance à ton corps. Il faudra simplement que tu te donnes le temps de parvenir à cette étape.

Prise de poids soudaine

Il arrive assez souvent d'entendre des personnes déclarer qu'elles ont pris vingt, parfois trente kilos en l'espace de quelques mois. Cette prise de poids soudaine résulte d'un choc important, autant physique que psychologique. C'est la conséquence d'un choc vécu lors d'une situation qui a impliqué plus d'une blessure et qui n'a pas été acceptée.

Lorsque nous compensons par la nourriture à la suite de ce choc, c'est que nous nous sentons coupables face à cette situation. Nous nous alimentons de façon culpabilisante. C'est d'ailleurs cette grande culpabilité qui fait grossir autant. Ainsi, notre corps cherche à attirer notre attention d'une façon dramatique (et facilement vérifiable dans le miroir) sur le fait qu'il est grand temps que nous apprenions à nous aimer davantage et à nous donner le droit d'être humains, et ce, avec nos faiblesses et nos limites.

CHAPITRE SIX

Le lâcher-prise et l'alimentation

J'ai mentionné à maintes reprises depuis le début de ce livre que nous ne pouvons dissocier nos trois corps, physique, émotionnel et mental. Aussi, quand tu manques d'énergie, c'est qu'un de ces corps n'est pas nourri correctement. Dans ce chapitre, je vais traiter des moyens concrets à utiliser, surtout au plan physique, qui auront automatiquement des répercussions sur les deux autres corps, donc au niveau de l'attitude intérieure et par conséquent, sur le comportement. Le prochain chapitre traitera davantage de l'aspect spirituel, le plan de l'être.

Le poids idéal

Pour commencer, il est important de faire le point sur le sujet du poids idéal. J'entends souvent la question : *Comment savoir quel est mon poids idéal ?* Toi seul peux le déterminer et surtout le sentir. Ton corps est celui qui sait quel est le poids naturel pour toi. Naturel ne veut pas dire normal. Certaines personnes devront être grosses toute leur vie, car cela fait partie de leur plan de vie – ayant besoin d'apprendre à s'aimer ainsi –, donc c'est leur poids naturel.

Ton corps reprend son poids naturel aussitôt qu'il a cessé d'avoir peur d'être placé dans un état de famine. Eh oui, c'est ainsi que ton corps perçoit les privations que tu t'imposes. Même si tu ne suis pas un certain régime ou diète et que tu n'es pas conscient de te priver, ou d'avoir peur de trop manger, ton corps perçoit ton intention. Je te rappelle qu'en moyenne, l'humain est conscient d'à peine 10 % de ce qui se passe en lui. Ton corps entend la petite voix dans ta tête qui pense souvent *J'ai encore trop mangé ; il faut que je me retienne... que je me contrôle davantage... il faut que je sois plus raisonnable.* De plus, lorsque tu as manqué de contrôle selon toi, il entend tous les noms désagréables dont tu te qualifies quand tu le regardes ou suite à un repas trop copieux.

Il est donc tout à fait normal que ton corps réagisse en accumulant des réserves lorsque tu veux lui imposer une privation. Il réagit exactement de la même façon que tu le ferais dans un autre domaine. Supposons que tu apprennes que, dans quelques mois, tu devras quitter ton emploi pendant six mois, et que donc tu n'auras plus aucune rentrée d'argent pendant cette période. Tu te mettrais sans doute à économiser assez d'argent en prévision de ces six mois, n'est-ce pas ? C'est une réaction normale. Ton corps réagit de la même manière, il fait ses provisions.

Lorsque tu transformeras ton attitude intérieure et que tu commenceras à t'aimer davantage, je peux t'assurer que ton corps le sentira et se dirigera tout doucement vers son poids naturel, lequel varie plus ou moins selon les individus.

Seules les personnes à la diète sévère parviennent à perdre beaucoup de kilos rapidement. Ce que la plupart ne savent pas, c'est que dans un régime hypocalorique, le corps devient carencé de certaines calories qui lui fournissent d'ordinaire l'énergie dont il a besoin ; par conséquent, il doit aller puiser dans ses muscles. Toutefois, lorsqu'on écoute notre corps au lieu de le priver, ce dernier reprend son poids naturel et ce sont alors seulement les graisses qui fondent.

C'est au moment où les muscles diminuent que le corps se sent en position de famine. Il devient inquiet, car il sait qu'avec des muscles affaiblis, il ne peut fonctionner normalement. C'est alors un combat pour lui car le corps, avec sa grande intelligence, fait toujours tout en son pouvoir pour être bien. Je ne t'apprends rien, n'est-ce pas ? Tu as certainement vérifié ce phénomène à plusieurs reprises lorsque tu te blesses. Le corps, sans qu'on ait à lui dire quoi que ce soit, met tout en mouvement pour commencer à guérir la plaie ou la maladie, selon la situation.

Dans le cas d'un régime, il a été reconnu par la science que le métabolisme du corps s'abaisse de plus en plus. Celui-ci a pour mission de consommer l'énergie nécessaire pour bien faire fonctionner le cerveau, le cœur, la respiration, la digestion, maintenir la chaleur du corps, etc. En ralentissant ainsi le métabolisme, la digestion se fait plus lentement. C'est donc la raison pour laquelle les gens à la diète ont l'impression que le moindre aliment les fait grossir. C'est tout simplement le corps qui accomplit son travail.

La décision de se mettre à la diète n'est pas naturelle car elle est motivée par une peur. Être naturel, c'est être soi-même, se laisser guider par les besoins de sa propre nature ; c'est donc s'aimer à chaque instant. Alors que nous savons que le corps fait tout en son pouvoir pour retrouver l'équilibre et son énergie afin de retourner à son poids naturel, nous ne sommes nullement étonnés de reconnaître que tout régime minceur ne procure qu'un résultat temporaire. Les statistiques affirment, sans équivoque, que 90 % des gens qui ont minci grâce à un régime reprennent ce poids perdu, avec quelques kilos supplémentaires au cours des deux ans qui suivent. Les gens qui conservent leur poids sont ceux qui se retrouvent toujours au régime. Voilà pourquoi le secteur du poids s'avère une des industries les plus lucratives au monde. C'est toujours à recommencer.

Pour leur part, les tissus graisseux sont le principal site de stockage de toxines. Dans le livre *Anticancer* de David Servan-Schreiber – un livre que je recommande fortement –, ce dernier mentionne que le docteur Davis, qui dirige le centre de recherche « cancer et environnement » à la Pittsburg University, soutient que notre excès de graisse est comme de la « décharge de produits toxiques » pour le corps. Voilà pourquoi il est préférable de perdre des graisses quand on mincit que de perdre des muscles. Cela t'aide à te libérer de toxines nuisibles. C'est aussi la raison pour laquelle un médecin conseillera toujours à quelqu'un qui a une surcharge pondérale de mincir, lorsqu'il est malade. Il sait que c'est un facteur déterminant de guérison et de bonne santé.

Les besoins quotidiens sont différents

Conformément à nos activités quotidiennes, le corps dépense plus ou moins d'énergie. Par exemple, si tu accomplis un travail physique important, ton corps n'aura pas le même besoin alimentaire que si tu passes une bonne partie de la journée assis à travailler modérément ou à te prélasser devant la télé. Autre fait, si tu transpires beaucoup, ton corps aura davantage besoin de sel et d'eau.

Si tu fais un travail qui exige un grand effort intellectuel, tu auras un plus grand besoin d'apport calorique. Savais-tu que le cerveau, bien qu'il ne constitue que 2 % de ton poids, sollicite à lui seul 50 % du glucose que tu consommes ? Il a besoin d'au moins l'équivalent de cinq cents calories de glucose par jour. Tandis que les muscles, qui représentent en général 50 % de la masse corporelle, ne demandent que 20 % de l'énergie de ton corps.

Voilà pourquoi il est si important d'écouter ce dont ton corps a besoin. Si ce sont des aliments sucrés que ton corps réclame, c'est ce que tu dois lui fournir. En suivant les conseils suggérés dans les chapitres précédents, tu deviendras graduellement plus conscient, à savoir si c'est vraiment ton corps qui réclame du sucre ou si c'est une demande influencée par des émotions.

Mais peu importe ! À partir de maintenant, pourquoi ne pas t'accorder le droit de manger ce qui te fait plaisir ? Dis à ton corps que tu es en train d'apprendre à bien l'écouter, et ce, même si tu n'es pas sûr à 100 % de ce dont il a besoin. Demande-lui, en plus, d'être assez indulgent pour éliminer ce qui ne lui est pas nécessaire pour le moment, en le rassurant qu'éventuellement il aura moins de travail supplémentaire, au fur et à mesure que tu deviendras plus conscient de tes besoins.

L'important est de te souvenir que chaque jour est différent. Qu'il se peut qu'à un certain moment, par exemple, tu aies besoin de deux repas et que le jour suivant, ce seront peut-être cinq petits repas qui seront requis.

Respecter les besoins des autres

Si tu vis en famille ou avec d'autres personnes et que tu es chargé des repas, il est très important de te souvenir qu'il est impossible que chaque membre de la famille ait la même faim, à la même heure, et les mêmes besoins.

Oui, mais je ne suis pas une domestique. Je ne peux tout de même pas faire quatre repas différents ! me diras-tu ? Si tu savais le nombre de fois que j'ai entendu cette phrase ! Toutefois, je t'assure que tous les membres d'une famille peuvent arriver à écouter chacun leurs besoins, et que somme toute, ce n'est pas tellement compliqué.

Mes enfants étaient adolescents quand j'ai commencé à mettre en application cette méthode. Auparavant, j'exigeais que chacun mange ce que j'avais préparé en leur répétant la phrase mentionnée au paragraphe précédent. Évidemment, ça créait souvent des remous en raison de leurs choix différents. Quand ils refusaient de manger mes plats préparés pour eux, j'éprouvais des émotions. J'étais frustrée à cause de tout le temps perdu à leur préparer un si bon repas, alors qu'ils ne semblaient guère l'apprécier.

J'ai fini par réaliser que j'entretenais les mêmes croyances que ma mère :

▶ Nous devons prendre trois repas par jour pour être en bonne santé ;

▶ Préparer de bons repas et nourrir ceux qu'on aime est une façon de leur démontrer notre amour.

Alors quand ils refusaient de manger à l'heure dite « normale » ou qu'ils dédaignaient mes bons petits plats ou voulaient sauter un repas, j'étais sûre que leur santé en serait affectée. Voulant être la mère parfaite, j'avais donc peur d'être jugée comme une mauvaise maman s'ils avaient été malades à cause du manque de nourriture. Voilà un bon exemple de contrôle occasionné par la blessure d'injustice. En plus d'avoir peur de ne pas être la mère parfaite, je considérais alors que le rôle de maman était bien ingrat, injuste, et qu'il était impossible de rendre tout le monde heureux.

En même temps, ce genre de situation me faisait ressentir ma blessure de rejet à cause de la deuxième croyance. C'est comme s'ils rejetaient mon amour.

J'ai commencé à vivre cela dès mon mariage. Il n'y a pas de hasard dans le fait que j'aie épousé un homme dont la maman cuisinait à peine ; il n'avait donc pas l'habitude de tous ces petits plats. Tu devines le reste. Il s'assoyait à table, fixait son assiette pendant quelques secondes et me lançait *Je suis désolé, je n'ai pas faim.* C'était comme recevoir un coup en plein cœur. J'insistais pour qu'il y goûte au moins. Après s'être forcé à manger quelques bouchées, il se levait de table et, aussitôt qu'il se croyait à l'abri des regards, après le repas, il fouillait dans les placards à la recherche d'autre chose à manger.

Les enfants ont répété ce scénario très souvent. J'ai mis plusieurs années à prendre conscience que je devais apprendre à lâcher prise plutôt que laisser mes croyances diriger ma vie.

Quand j'ai enfin décidé d'adopter une nouvelle attitude, à savoir de dédramatiser, et d'adopter un comportement différent, après être devenue consciente de l'importance d'écouter ses besoins, tout s'est bien passé, beaucoup mieux en fait que je ne l'aurais cru. J'ai continué à préparer des repas aux heures normales sans réellement me soucier de leurs choix ou s'ils avaient faim. Celui qui n'avait pas faim n'était plus contraint de manger, en sachant qu'il était fort possible qu'il ait à consommer son repas (froid), une ou deux heures plus tard. J'ai réalisé que le poulet et les légumes s'avéraient tous aussi nourrissants froids que chauds. Si l'un d'eux avait envie de manger quelque chose de différent, il pouvait choisir autre chose dans le frigo ou encore se faire un sandwich.

Je peux t'avouer, par contre, que ces situations ne survenaient en fait qu'une ou deux fois par semaine. La plupart du temps, ils avaient envie de manger ce que j'avais préparé car j'avais lâché prise.

Oui, mais ils vont manger n'importe quoi si je leur laisse la permission de manger ce qu'ils veulent. N'est-ce pas ta réaction ? Eh bien, si c'est ta crainte, j'ai une question pour toi : Qui achète le « n'importe quoi » ? Tu n'as alors qu'à t'assurer de n'avoir que de bons aliments santé dans la cuisine et peu importe leur choix, ce sera nutritif pour eux. Tu réaliseras à quel point tu t'es dégagé d'un poids, en lâchant prise ainsi.

À l'époque, je racontais à mes adolescents qu'ils pouvaient s'acheter ce dont ils avaient envie au magasin du coin – bonbons, chocolat, boisson gazeuse, chips, etc. – grâce à l'argent de poche que je leur remettais chaque semaine. Au début, ils se sont empressés de se procurer des choses avec lesquelles je n'étais pas nécessairement d'accord. J'ai néanmoins pris le temps de bien leur expliquer les effets nuisibles de certains produits alimentaires, mais qu'en fin de compte ils étaient maîtres de leur corps et que, dorénavant, ça relevait de leur décision de lui nuire ou non, qu'ils devraient en assumer les conséquences. Désormais, je leur laissais la responsabilité de leur corps, sans intervenir. Graduellement et de leur propre chef, ils en ont acheté de moins en moins, préférant utiliser leur argent pour autre chose.

Quand on prend nos responsabilités et qu'on sait qu'on devra assumer des conséquences désagréables, cela nous aide grandement à ne pas nous sentir coupables, en plus de faire des choix alimentaires plus judicieux. Le corps collabore davantage avec nous.

Je veux aussi attirer ton attention sur les besoins différents de l'homme et de la femme. Ton ou ta partenaire n'a pas les mêmes besoins de base que toi. Le métabolisme d'un homme est de 15 % à 20 % plus rapide que celui de la femme. Étant doté en général d'une stature et d'une ossature plus importantes, l'homme est en mesure d'absorber plus de calories.

La plupart des couples sont portés à manger la même chose car celui qui prépare le repas croit qu'il doit composer deux assiettes identiques. Voilà une autre habitude qui aurait intérêt à être changée.

Fais-tu partie des personnes qui veulent démontrer leur amour en donnant à manger ? Si tu te reconnais dans ce genre de personne, il est fort probable que tu éprouves de la difficulté à dire non à ceux qui t'offrent de la nourriture – comme je le vivais autrefois. Si quelqu'un insiste pour que tu manges ou boives quelque chose, la méthode qui semble obtenir de bons résultats consiste à dire *Non merci, pas maintenant, peut-être plus tard* ou *laisse-moi y réfléchir.* C'est une nouvelle habitude à adopter et développer. Par la suite, il te sera facile de dire simplement *Non merci, je n'en veux pas* ou *je n'ai pas faim* sans avoir à fournir d'explications. La dernière étape sera franchie lorsque tu pourras dire non merci tout simplement. Or, il se dégagera une telle assurance de ta part que personne n'osera insister. On sentira inévitablement que ton NON est véritable et sincère.

Souviens-toi que ce que tu vis dans ta façon de t'alimenter t'aide à te connaître dans les autres domaines de ta vie. En apprenant à dire *non merci* pour la nourriture, cet apprentissage te servira ailleurs par la même occasion. Il y aura toujours des gens qui essaieront de te convaincre de changer d'idée et de te ramener à leurs désirs dans d'autres domaines. Ce n'est sûrement pas pour te faire du tort, mais plutôt pour leur gratification personnelle – souvent inconsciemment. Cela implique que c'est toi qui dois apprendre à écouter tes besoins, à t'affirmer avec fermeté plutôt qu'espérer que les autres devinent tes besoins.

Quand tu pourras dire NON sans te sentir coupable, sans avoir peur de blesser l'autre personne ou peur de ne pas être aimé, tu verras qu'il te sera beaucoup plus facile d'accepter le faite que si quelqu'un refuse ce que tu offres, il n'est pas en train de dire qu'il ne t'aime pas, il est seulement à l'écoute d'un de ses besoins.

Respecter les besoins des autres signifie également le fait de ne pas essayer de les priver. Cette allusion fait surtout référence aux personnes qui sont très sévères au sujet de l'alimentation de leurs proches – enfants ou partenaire, ou encore ceux qui s'occupent d'un parent vieillissant. As-tu déjà été aux prises avec une telle situation ? Ton intention est sûrement bonne, que ce soit pour leur santé ou leur poids, mais cette attitude s'avère néanmoins non respectueuse. Si tu te montres aussi rigide avec ceux que tu aimes, il va de soi que tu l'es avec toi-même. Voilà un autre exemple de contrôle.

De plus, en arrêtant de vouloir influencer les autres, tu t'apercevras que ceux-ci tenteront moins d'avoir de l'influence sur toi. En conclusion, plus tu respecteras les besoins alimentaires de tes proches, plus tu réaliseras à quel point ceux-ci te respecteront. Quand je parle de respect, je me réfère au respect dans tous les domaines. Souviens-toi que l'alimentation n'est qu'un reflet de ce qui se passe dans les autres domaines.

Éviter les conflits au moment des repas

Avec la vie trépidante d'aujourd'hui, un grand nombre de personnes ne se voient hélas qu'au moment des repas. Elles profitent de cette occasion pour se disputer, se faire des reproches, se critiquer, se plaindre, donner des ordres, etc. C'est le meilleur moyen de manger d'une façon non bénéfique, c'est-à-dire d'avaler très rapidement, ne rien savourer, ne rien sentir, en espérant que le repas se termine au plus vite.

Si ce genre de situation se produit dans ta vie, une bonne idée serait de demander aux membres de ta famille si tous seraient d'accord pour s'engager à ne discuter que de choses agréables durant les repas. S'entendre sur un signal quelconque ou un mot clé, par exemple, lorsque quelqu'un amorce un comportement négatif et oublie son engagement. Au début, c'est normal que certains oublient, mais peu à peu, vous arriverez à adopter cette nouvelle habitude, laquelle est très bénéfique pour tous.

Lorsque nous critiquons ou que nous nous sentons critiqués, jugés, pendant l'ingestion de toute nourriture, il est impossible pour notre estomac de bien la digérer. Pourquoi ? Parce qu'en ne supportant pas une autre personne ou une situation, cela affecte notre digestion physique. Je le répète, ce n'est jamais un aliment qui est difficile à digérer, c'est notre état intérieur d'indigestion – de critiques – qui affecte notre estomac. Quand on mange avec amour, avec acceptation et lâcher-prise, le corps, n'offrant pas de résistance, fait son travail de manière tout à fait naturelle.

Éviter les distractions au moment des repas

Selon les statistiques, environ 75 % des gens affirment manger en famille. Mais un nouveau phénomène se produit, soit celui des distractions. En effet, selon ces mêmes statistiques, 33 % des gens affirment laisser la télévision allumée pendant les repas ou en profitent pour lire le journal ou leur livre préféré. De nos jours, d'autres distractions entrent en ligne de compte, dont les téléphones portables, les textos et les courriels. Donc, les gens ne font pas attention à ce qu'ils mangent ni à la quantité qu'ils ingurgitent. Ils sont absorbés par d'autres occupations.

Précédemment, je parlais d'éviter les conflits pendant les repas. Les distractions produisent le même effet : les gens deviennent complètement déconnectés de leur famille.

Si tu te reconnais dans ces exemples, je te recommande de vivre l'expérience de t'abstenir de distractions pendant au moins trois semaines pour pouvoir faire la part des choses. Ne crois-tu pas qu'une période de trois semaines représente peu de temps dans ta vie pour vivre une expérience qui pourrait se révéler très bénéfique pour ta famille et toi ?

Si vous êtes plusieurs à manger à la même table, il se peut que vous ne soyez pas tous d'accord avec cette idée, mais il y a toujours moyen de négocier. Vous pourriez prendre trois semaines pour vivre l'expérience avec ceux qui le désirent puis trois autres semaines pour ceux qui veulent continuer à manger avec leur distraction préférée. Vous pourriez même décider que chaque groupe mange dans des endroits différents pendant cette période. Ce ne sont que des suggestions. Je suis sûre qu'ensemble vous pourrez trouver une solution.

Savoir quand tu as faim et quand tu n'as plus faim

Il est possible qu'il te soit difficile de reconnaître si tu as vraiment faim, même si tu te poses adéquatement les questions suggérées à la page 67 surtout si tu avais l'habitude de manger par gourmandise ou par émotion, ne te donnant ainsi pas l'occasion d'avoir faim. Rappelle-toi que toute nouvelle habitude requiert un certain temps avant de s'installer.

Et pourquoi ? Parce que ton corps a cessé de t'apporter les signaux que tu n'écoutais presque jamais. Voici l'exemple d'une femme ayant la mauvaise habitude de se fâcher rapidement. Elle veut arriver à être plus tolérante, patiente, car l'atmosphère familiale est devenue désagréable, et ne plus se sentir coupable par la suite. Mais malgré son désir de transformer son attitude, elle n'y arrive pas. Elle demande alors à son conjoint de lui rendre service, en l'avertissant chaque fois qu'elle se fâche, grâce à un petit signal convenu entre eux. Après plusieurs semaines de contribution de la part de son conjoint, elle continue cependant à faire fi de ses avertissements, de sorte que les colères s'avèrent toujours aussi fréquentes. Combien de temps, selon toi, son conjoint va-t-il continuer à l'aider avant de se décourager ?

Si ça fait longtemps que tu n'es pas attentif aux signaux de ton corps lorsqu'il a faim et lorsqu'il est rassasié – qu'il n'a plus faim –, il est fort possible qu'il ait cessé toute communication, toute tentative à t'envoyer des messages. Je me suis rendu compte que, pour la plupart des gens, il est encore plus difficile de reconnaître lorsqu'ils n'ont plus faim que de savoir quand ils ont faim. Ne te décourage pas. Avec de la pratique et de la persévérance, nous pouvons venir à bout de tout.

Ça me rappelle le moment où, il y a quelques années, j'ai commencé à faire les exercices physiques appelés « Les Cinq Tibétains » chaque matin. Quand une amie m'a enseigné ces exercices, je pouvais à peine soulever mon corps du sol. Je ne pouvais m'imaginer qu'un jour, j'arriverais à être aussi souple qu'elle. À ma grande surprise, j'ai réussi, avec de la persévérance, et j'en suis très fière. Au bout de plusieurs années, ces exercices sont maintenant devenus très faciles, et ce, même si mon corps prend de l'âge.

Un moyen que je te suggère pour détecter le moment où tu n'as plus faim est de te demander, dès la moitié du repas entamé, si tu as encore faim. En général, ce sera oui. Alors tu continues, tout en arrêtant à intervalles réguliers, pour te poser la même question. Peu à peu, tu sauras quand tu n'auras plus faim. Tu discerneras ton signal personnel. Pour certaines personnes, les aliments perdent leur bon goût. Pour d'autres, elles ont un haut-le-cœur ; certaines ont même la gorge qui se noue. D'autres encore le ressentent tout simplement, sans signal physique particulier.

Il est aussi reconnu que, lorsque nous buvons en mangeant, il est beaucoup plus difficile de déceler quand nous n'avons plus faim. Le liquide mélangé au bol alimentaire fausse les données et empêche notre corps de nous envoyer le signal attendu de rassasiement. Il est recommandé de plutôt boire avant ou après le repas.

Si tu fais partie de ceux qui ont appris qu'il est mal de laisser de la nourriture dans son assiette, qu'il faut TOUJOURS tout manger, il doit être difficile pour toi de savoir quand tu n'as plus faim. Selon les statistiques, au moins 54 % des gens sont comme toi : leur assiette doit être vide avant de pouvoir quitter la table. Il y a même des personnes qui ne peuvent s'empêcher de bien nettoyer leur assiette avec un morceau de pain ou finissent ce qui reste dans l'assiette des autres, croyant qu'il ne faut RIEN JETER à la poubelle. Elles deviennent donc la poubelle de la famille.

Cette croyance a engendré un problème qui n'existait pas dans les générations précédentes, à savoir le fait que les portions ont beaucoup augmenté depuis les années 1960 ; les restaurants sont à la mode et il existe d'innombrables franchises en restauration rapide. La plupart de ces restaurants veulent nous en donner pour notre argent et ce phénomène se produit dans de plus en plus de pays. Cette croyance fait donc en sorte que les gens mangent de plus grosses portions, ce qui affecte leur santé et leur poids. On peut le constater avec le pourcentage de gens obèses qui ne cesse d'augmenter d'année en année.

Si tu attends comme signal d'être incapable d'avaler une bouchée supplémentaire, et en conséquence de te sentir gonflé, tu auras alors la désagréable impression d'un « trop-plein », et rendu là, il est trop tard. Le vrai signal de satiété du corps arrive bien avant cette étape. Quand cette situation se produit, prends quelques instants pour te demander à quel moment tu crois qu'il était temps d'arrêter. Qu'est-ce qui a été de trop ? C'est une façon de t'aider à l'avenir. La réponse peut être *Ce sont les cinq dernières bouchées qui ont été de trop*, ou *la deuxième tranche de pain trempée dans la sauce* ou bien *c'est le dessert dont j'aurais pu me passer*.

N'oublie pas, et c'est très important, que si tu te culpabilises, ce superflu sera encore plus difficile à digérer et à éliminer. Remplace cette culpabilité en devenant plutôt conscient que si tu sens ton corps physique lourd, c'est pour attirer ton attention sur le fait que tes corps émotionnel et mental sont pour le moment alourdis, surchargés, que tu t'accables de pensées non bénéfiques pour toi. Ça peut être des peurs, des rancunes…Pour t'alléger, le moyen le plus rapide est de passer à l'amour véritable, à l'acceptation de toi-même dans ce qui se passe ce jour-là.

Demande-lui ensuite s'il peut avoir la gentillesse d'éliminer ce « trop », plutôt que de le transformer en graisse, en lui rappelant que tu es en train d'apprendre à l'écouter davantage pour reconnaître quand il en a assez. Qu'il ne se décourage pas. Peu à peu, il aura moins de travail à accomplir au fur et à mesure que tu t'aimeras davantage, ce qui aura pour effet d'écouter de façon attentionnée les besoins de ton corps. Je me suis rendu compte que cette attitude a des effets remarquables. Notre corps, sentant l'acceptation intérieure, nous écoute et élimine ce dont il n'a pas besoin plutôt que de l'emmagasiner.

Le fait de manger sans te sentir coupable aide ton corps à éliminer ce surplus, et ce, même si tu lui donnes du travail supplémentaire. Cependant, si tu te sens coupable, il y aura des conséquences nuisibles à tous les niveaux. Les personnes qui mangent souvent trop, ou pas ce dont elles ont besoin, et qui ne grossissent jamais, par exemple, courent, entre autres conséquences nuisibles de leur culpabilité, le risque de se retrouver avec des problèmes du système digestif.

Cette situation de « trop-plein » se produit souvent chez ceux qui mangent par compulsion et qui essaient de remplir un vide intérieur causé par le manque d'amour de soi. Il est donc important de s'accepter dans cette situation et de remercier notre corps de nous aider à devenir conscient qu'il est temps d'apprendre à s'aimer davantage.

Fais-tu partie des personnes qui se disent : *Je suis incapable de jeter ce qui reste dans mon assiette, c'est du vrai gaspillage* ou *C'est bien trop bon, je ne peux pas arrêter, même si je sais que je n'ai plus faim* ou *Je veux profiter au maximum de tous ces plats alléchants offerts pendant les vacances ou chez des amis.* Si oui, voilà les excuses que tu te donnes pour ne pas écouter ton corps. Tu es habitué à contrôler ton alimentation – comme tu essaies de contrôler ta vie – depuis si longtemps, que ça effraie ton ego de réaliser que tu veux dorénavant être ton propre maître, ce qui signifie écouter ton corps au plan physique. Il ne croit pas que tu puisses assumer les conséquences de cette décision et il est persuadé que tu souffriras trop en faisant fi de toute compensation psychologique à travers la nourriture. C'est pourquoi tu dois vivre l'expérience, afin de rassurer ton ego du fait que oui, tu peux assumer les conséquences, sans nécessairement avoir à trop souffrir de cette décision. Tu dois surtout réaliser que **la souffrance associée au fait d'ingérer des aliments non nécessaires à ton corps est devenue plus forte que celle associée au manque de la compensation psychologique.**

Un moyen que tu peux utiliser, lorsqu'il t'est difficile d'en laisser dans ton assiette, est d'imaginer que tu envoies dans l'invisible ces bons restes à quelqu'un dans le monde qui en a besoin. Je suis tellement convaincue que toute intention de notre part est immédiatement mise en mouvement par l'énergie universelle, qu'à cet instant même, quelqu'un dans le besoin trouvera ou se verra offrir de la nourriture.

Une autre question que certains se posent : *Est-ce que je dois manger aussitôt que je sens la faim ?* Il est vrai que, lorsque nous sommes de nouveau aptes à sentir la faim véritable, celle-ci se manifeste très rapidement. Il est préférable de ne pas attendre trop longtemps après les premiers signes de la faim. Pourquoi ? Parce que le corps va croire que tu veux le priver et se placera en mode de prévention. Il voudra garder ses réserves.

On peut comparer cette situation au besoin du corps d'éliminer. Nul besoin de courir aux toilettes, mais il est préférable d'y aller aussitôt que possible. Ceux qui attendent le dernier moment ne sont pas à l'écoute de leur corps. Ils le torturent inutilement – comme ils se torturent dans leur quotidien. Si tu te reconnais dans ce que je viens d'énoncer, tu as dû remarquer combien tu es devenu graduellement insensible aux injonctions de ton corps, et il est fort probable que tu souffres de constipation.

En fait, il est préférable de manger plusieurs fois par jour que de te priver quand tu as faim. Il semble paradoxal d'affirmer que manger de cette façon fera moins grossir que si l'on se contrôle, mais c'est un fait. J'ai remarqué, lors des ateliers, que certaines femmes se présentent avec une réserve de nourriture, par exemple des noix, des barres nutritives, etc., qu'elles consomment à plusieurs reprises durant la journée. Pas de grandes quantités, mais elles semblent manger souvent. Et pourtant, ces femmes n'ont aucun problème de poids. Ce qui est important, c'est d'être sûr d'avoir reçu le signal de ton corps quand celui-ci semble être affamé. Manger plusieurs fois par jour peut aussi s'avérer une dépendance ou une habitude. Avec de la vigilance, toi seul pourras le détecter.

Si tu es du genre à arrêter de manger avant que ton corps ne te signale la satiété, tu dois ressentir de nouveau la faim assez rapidement, n'est-ce pas ? Il est préférable de le nourrir, si c'est le cas, et non de te contrôler en te disant qu'il ne faut pas manger entre les repas. Tu sais comme moi que toute personne qui se contrôle par rapport à la nourriture finit par perdre ce même contrôle dans un autre domaine, tel que crier pour un rien, pleurer sans être en mesure de t'arrêter, dramatiser une situation anodine, etc.

Manger ce que tu aimes

Je ne peux tout de même pas toujours manger ce qui me chante. J'aime plein de choses qui font grossir, qui sont grasses ou très salées, qui me donnent des boutons, qui sont difficiles à digérer... Est-ce que ces phrases te sont familières ? Si oui, je ne serais pas surprise car j'ai souvent entendu ce genre de commentaires. Cette façon de penser est soutenue par ceux qui croient qu'il faut tout de même se contenir et avoir un certain contrôle car sinon, ce serait considéré comme du « laisser-aller ».

As-tu remarqué ce que le contrôle a occasionné jusqu'à maintenant ? Au fil des ans, as-tu réussi à cesser de te sentir coupable après avoir succombé à la tentation, alors que tu étais incapable de te retenir ? La réponse est non, n'est-ce pas ? Je n'ai encore rencontré personne qui ait pu répondre oui à cette question. Tu as sûrement réalisé ceci : plus tu te dis que tu ne dois plus faire telle chose, ou encore que tu devrais accomplir ceci ou cela, et plus tu continues à te sentir coupable, en plus d'être incapable de réaliser ce que tu veux. C'est sans doute le cercle vicieux le plus courant au monde.

On croit qu'en se sentant coupable, la petite voix – l'ego – dans notre tête cessera de répéter : *ce n'est pas bien*. Hélas, c'est le contraire qui se produit. Alors que faire ? Ce que je suggère va t'étonner. Choisis un aliment que tu aimes particulièrement et manges-en autant et aussi souvent que tu le désires, même tous les jours. Prends le temps au préalable d'avertir ton corps du fait que tu procèdes à une expérience. Que tu veux parvenir à te donner le droit de manger ce qui te chante et reconnaître si un aliment est dangereux ou non pour ton corps, c'est-à-dire quand tu auras vraiment senti et expérimenté ces effets par toi-même. Combien de personnes affirment que tel aliment est dangereux, alors qu'elles n'en ont jamais eu l'expérience. Elles sont convaincues de cette théorie, du fait qu'elles en ont entendu parler et ont accepté de croire ce que les autres croient.

Tu dois néanmoins tenter de vivre ton expérience à fond. Je te signale que, si tu la vis sans culpabilité, tu ressentiras et sauras dans très peu de temps si cet aliment s'avère dangereux ou non pour toi. En fait, ton objectif est d'arriver à prendre la décision d'arrêter ou de modérer cet aliment, seulement parce que ce n'est plus intelligent pour toi de te faire du tort et non parce que c'est mal. Dès l'instant où tu cesses un comportement en raison d'une petite voix qui te dit que tu dois arrêter, que ce n'est pas correct, cela devient du contrôle, et ainsi, ce n'est pas toi – ton cœur – qui décides, mais plutôt ton ego, celui qui entretient le bien et le mal en toi.

Si tu te retrouves en position de perte de contrôle, sans pouvoir t'arrêter, voilà le signe que tu te sens encore coupable. Si ça s'avère trop difficile pour toi de faire cet exercice sans culpabilité, juste à titre d'expérience, tu peux recommencer avec un autre aliment en te rappelant toutefois qu'un jour, tu devras y revenir. Personne ne peut le faire à ta place. Toi seul peux arriver à transformer ta façon de penser face aux choses que tu aimes. Tu procèdes ainsi en faisant l'expérience avec un aliment à la fois.

Tu n'as rien à perdre à essayer cette nouvelle attitude et adopter ce nouveau comportement car auparavant, même si tu cherchais à te contrôler, tu retombais sans cesse dans la perte de contrôle. De plus, tu auras peut-être l'agréable surprise de découvrir que ce que tu croyais être un aliment mauvais pour ta santé se révèle possiblement faux, que ton corps est d'accord et a peut-être même besoin de cet aliment.

Un jour, une dame me racontait ce que sa mère lui disait lorsqu'elle était adolescente : *Si tu veux mincir, c'est bien simple, tu n'as qu'à arrêter de manger* TOUT *ce que tu aimes.* Tu peux imaginer que cette dame a éprouvé un problème de poids et de culpabilité toute sa vie. Aussitôt qu'elle savourait quelque chose, la petite voix dans sa tête lui rappelait sans cesse, tel un enregistrement, qu'elle allait grossir. Voilà une autre croyance qui nous empêche de manger ce qui nous fait plaisir.

Toute croyance doit être entretenue seulement si elle est bénéfique pour soi. Aussitôt qu'on se rend compte que de croire à quelque chose nous complique la vie, nous empêche d'être bien, libre et d'écouter nos besoins, nous savons dès lors que cette croyance n'est plus intelligente pour nous. Donc, **tu n'as pas à te demander si ce que tu crois est véridique ou non, mais plutôt si les**

croyances que tu entretiens te rendent heureux ou non et t'apportent les résultats désirés.

Chaque croyance crée de nouvelles connexions dans le cerveau. Et plus cette croyance a de l'emprise sur toi, plus la connexion s'avère importante. Nos façons de penser, nos actions et nos réactions sont pour la plupart des automatismes. Te rends-tu compte du nombre de fois où tu agis sans penser, sans réfléchir ? Il est vrai qu'il nous arrive d'écouter nos besoins et de demeurer spontanés, mais nous sommes néanmoins plus portés à écouter notre ego plutôt que notre cœur. Ce n'est même pas nous qui dirigeons notre vie. Fais-tu partie de ceux qui aspirent un jour à être les maîtres de leurs actions et réactions, de leurs pensées, de leurs décisions ?

Pour y parvenir, tu dois commencer par accepter que, pour l'instant, il arrive souvent que ce ne soit pas toi qui diriges ta vie. Ensuite, tu prends la décision qu'à partir de maintenant, tu veux développer de nouvelles habitudes qui seront bénéfiques pour toi.

Il faut au moins trois mois pour créer une nouvelle habitude ou instaurer une façon d'agir ou de penser différente. Ce qui, en résumé, laisse le temps nécessaire au cerveau pour créer une nouvelle connexion et s'ajuster à de nouvelles données, enrayant ainsi l'ancien automatisme. Le fait de s'accorder plusieurs choix pour une même situation nous aide à développer notre discernement et à ne plus agir comme des robots.

Supposons que tu sois le genre de personne qui, chaque fois qu'elle passe à côté d'un bol contenant des bonbons, ne peut s'empêcher d'en attraper une petite poignée, soit au restaurant, dans une salle d'attente, chez grand-maman, en dégustation au supermarché…

Jusqu'à maintenant, tu as créé l'automatisme d'en prendre une petite poignée, d'en mettre un dans ta bouche et d'enfouir les autres dans ta poche ou ton sac pour les « au cas où ».

Pour commencer, tu décides d'en prendre autant que tu veux, en choisissant de croire que ce comportement n'est plus « mauvais ». Ensuite, tu trouves d'autres façons d'agir dans cette même situation. Parfois, ne rien prendre, à une autre occasion n'en saisir qu'un ou plusieurs et les manger tous, parfois en manger un et offrir le reste à quelqu'un d'autre, et enfin peut-être décider de les envoyer à la poubelle en visualisant que tu envoies du sucre à quelqu'un qui en a vraiment besoin, quelque part dans le monde. Ainsi, tu es en mesure de t'apercevoir qu'il y a plusieurs façons de gérer un même problème et tu deviens le maître de la situation.

Si tu es de ceux pour qui le mot *tricher* fait partie de leur vocabulaire ou encore que tu y penses souvent, ce serait une bonne idée de transformer cette habitude. Aussitôt que le mot « tricher » t'effleure l'esprit, tu viens d'apprendre que tu te sens coupable. Voilà un autre cercle vicieux qui commence. Puisque tu te sens coupable d'avoir triché, il est presque assuré que tu continueras à manger cet aliment pour te punir davantage, parce que tu te détestes lorsque tu agis ainsi. Il arrive aussi que certains s'accusent de « tricher » alors que leur corps avait vraiment besoin de cet aliment. Mais le fait de se culpabiliser fait en sorte qu'ils en mangent plus que nécessaire.

Après avoir triché, tu te promets de ne plus recommencer, croyant que c'est le moyen de faire cesser ton envie. Toutefois, c'est tout le contraire qui se produit.

Plus on se dit qu'on ne recommencera plus, plus on recommence. Voilà pourquoi il y a autant de culpabilité dans ce monde. On croit qu'en se sentant très coupable, on ne recommencera plus, que c'est la preuve que l'on est une bonne personne, que ceux qui ne se sentent pas coupables sont des indifférents.

Le seul moyen pour parvenir à transformer un comportement est l'acceptation. C'est-à-dire se donner le droit d'avoir des limites, au lieu de s'accuser ou de se faire la morale et engendrer des promesses irréalistes. L'acceptation est un lâcher-prise. **Plus on lâche prise, plus ça change. Plus on veut contrôler, moins ça change.**

Manger ce que tu n'aimes pas

Je viens d'évoquer le fait qu'il nous arrive souvent d'aimer quelque chose, tout en sachant ou en croyant que notre corps n'en a pas besoin. Il peut aussi arriver qu'on mange quelque chose qui nous déplaise. Par la suite, on se demande pourquoi on a choisi d'ingérer quand même cet aliment.

Ce genre de situation se produit régulièrement lorsque nous voulons nous récompenser à la manière de notre maman ou d'une autre personne qui jouait ce rôle. Il arrive fréquemment que les parents récompensent leurs enfants avec de la nourriture, sans vérifier si c'est à leur goût. Par exemple, un morceau de gâteau aux carottes ou au fromage, alors que l'enfant n'aime pas ce dessert.

Or, puisque celui-ci perçoit qu'il reçoit une récompense grâce à cet aliment, il s'efforce de le manger car il se sent aimé, accepté, reconnu par sa maman. Il le mange, non pas parce qu'il le trouve bon et qu'il l'aime, mais bien pour le plaisir psychologique associé à cet aliment.

En remplissant ton registre journalier, si tu te rends compte de ce fait, prends le temps de te remercier d'en être devenu conscient, et décide que tu peux te récompenser à l'avenir d'une autre façon. Tu n'as plus besoin de rechercher la récompense ou l'approbation de maman. C'est bel et bien ton approbation qui compte désormais, qui fait toute la différence en toi.

Il y a de plus ceux qui continuent à manger un aliment en dépit de s'être aperçus qu'ils ne l'aiment pas. Ça peut être au restaurant ou si quelqu'un d'autre leur a offert cet aliment. C'est le genre de personne qui, à son propre détriment, a peur de blesser ou de déranger les autres.

Si tu te reconnais dans cet exemple lorsque tu remplis ton registre, sache que tu fais la même chose dans les autres domaines de ta vie. Dans la colonne LIEN, trouve la situation où tu as eu de la peine ou de la difficulté à exprimer ton mécontentement ou à dire que tu n'aimes pas quelque chose, par peur de déplaire ou de blesser l'autre personne. Tu deviens donc conscient d'une nouvelle situation où tu dois apprendre à t'aimer davantage. C'est ta peur qui t'incite à donner à ton corps quelque chose dont tu n'as pas besoin et, en plus, qui ne plaît même pas à tes papilles gustatives. En exprimant ton besoin à l'avenir, tu découvriras que, la plupart du temps, ça ne blesse ni ne dérange aucunement les autres personnes. Tu arriveras ainsi à te débarrasser de ta peur.

Allergies et intolérances alimentaires

Il y a un phénomène qui se produit en ce moment dans plusieurs pays et qui peut s'avérer très révélateur pour de nombreuses personnes. Il s'agit de l'augmentation considérable d'allergies et d'intolérances alimentaires. Ce phénomène se développe souvent chez les enfants en bas âge et peut se poursuivre longtemps, voire toute une vie, ou encore commencer à se manifester à l'âge adulte.

Une allergie génère des conséquences plus nuisibles – parfois même plus dangereuses – qu'une intolérance alimentaire. Voici la différence entre les deux problèmes. Une **allergie alimentaire** consiste en une sensibilité provoquée par une réaction du système immunitaire à une protéine particulière se trouvant dans un aliment. Cette réaction en chaîne est donc responsable de symptômes, tels que problèmes respiratoires sérieux et/ou affections cutanées.

Une **intolérance alimentaire** consiste en une sensibilité alimentaire qui n'entraîne pas de réaction immunitaire chez l'individu. Elle est davantage susceptible de se manifester dans le système gastro-intestinal, et elle est habituellement causée par une incapacité de digérer ou d'absorber certains aliments ou certains composants de ceux-ci.

Les mots utilisés pour décrire ces deux situations parlent d'eux-mêmes. Allergie… sensibilité… réaction… intolérance… affection… incapacité de digérer.

Ceux qui décident de faire abstraction d'un certain aliment, croyant que leur corps refuse de le digérer, ont grand intérêt à utiliser ce phénomène pour se connaître davantage. En réalité, ce n'est pas l'aliment qui est difficile à tolérer, c'est une autre personne. Tout comme on peut se retrouver allergique à quelqu'un.

Si c'est ton cas, en prenant le temps de te demander : *Qu'est-ce que cet aliment représente pour moi ?* ou ce à quoi il te fait penser, tu peux arriver à découvrir d'importantes émotions enfouies en toi qui attendent impatiemment d'être découvertes, et ce, afin que tu puisses t'en libérer.

Par exemple, je connais une dame qui ne digérait pas les concombres. Ce n'est que quarante ans plus tard qu'elle a enfin pu faire le lien entre le concombre et les abus sexuels vécus dans sa jeunesse. Le concombre lui rappelait une image éprouvante des gestes que son père lui faisait subir. Dès qu'elle a été en mesure d'effectuer le pardon véritable, elle a pu sans difficulté manger des concombres à nouveau.

Dans mon cas, je ne pouvais avaler aucun potage qui contenait des tomates. Je courais le vomir aux toilettes à chaque fois que je tentais à nouveau d'en reprendre. Ma mère, qui ne comprenait pas la source de mon aversion envers les tomates, insistait pour que je réessaie de temps à autre. Un jour, j'ai enfin réalisé que ce genre de potage me rappelait les religieuses qui m'obligeaient à en consommer plusieurs fois par semaine, alors que j'avais été placée en tant que pensionnaire à l'âge de cinq ans. Leur potage, pour moi, avait un goût de liquide vaisselle. J'avais des haut-le-cœur et je pleurais chaque fois qu'elles me forçaient à en manger. Des années plus tard, j'ai dû faire un processus de pardon et d'acceptation envers ces religieuses.

Toutes les formes d'allergie alimentaire peuvent être associées à un incident qui a réveillé l'une ou l'autre de nos blessures d'enfance. Ce phénomène se manifeste davantage chez les gens qui sont hypersensibles – qui se laissent affecter facilement par les autres ; ils sont souvent réactifs et intolérants. Voilà pourquoi ces gens ont la critique facile, que celle-ci soit exprimée ou non. Ils supportent donc difficilement ceux envers qui ils sont intolérants. Être allergique à une autre personne signifie qu'on ne peut s'en passer, on recherche sa présence et, en même temps, on ne peut la tolérer et on la critique ouvertement.

Je suggère à ceux qui souffrent d'une allergie depuis leur plus tendre enfance de faire un décodage[1]. On peut croire qu'à l'âge de un an, on ne peut être allergique à une autre personne. C'est faux. Dès la naissance, bien qu'inconsciemment, nos blessures jouent un rôle et sont activées par nos proches et, par conséquent, nous ressentons des émotions. Il est trop facile de croire que notre corps réagit simplement parce qu'il n'aime pas un aliment ou que c'est son métabolisme qui le refuse. On doit se rappeler que toute réaction physique est un symbole d'une réaction psychologique.

On sait qu'on n'aime pas un aliment aussitôt qu'on y goûte et qu'on le mastique. Nous devons donc choisir de ne plus en manger par amour pour soi. Si tu te retrouves avec une réaction suite à l'ingestion d'un aliment avarié, celle-ci se manifeste pour attirer ton attention sur le fait que tu aurais dû t'en apercevoir aussitôt que tu as goûté à la première bouchée. Si tu as quand même tout mangé, c'est signe que tu fais la même chose dans ta vie. Tu te laisses influencer par

---

1. La technique de décodage est enseignée dans le livre *Ton corps dit : Aime-toi !*, édité par Les Éditions ETC.

des pensées ou des personnes qui cherchent à empoisonner ta vie en ce moment.

Comme tu peux le constater, on retrouve toujours un lien entre ce qui se passe au plan physique et les autres plans. Rien n'est laissé au hasard. Une fois ce fait bien compris et accepté, il est beaucoup plus facile de découvrir par la suite d'autres aspects inconscients de soi. Nous verrons dans le dernier chapitre comment gérer ces émotions, grâce à l'alimentation.

Peur d'avoir faim

Fais-tu partie de ceux qui s'assurent de toujours prendre leurs trois repas par jour – et bien copieux – par peur d'avoir faim entre les repas ? Ou es-tu le genre de personne qui apporte très souvent de la nourriture avec toi en quittant la maison par peur d'avoir faim ? Je connais bien des gens qui affirment se sentir faibles lorsqu'ils ont faim. C'est beaucoup plus la peur de sentir une faiblesse qui est en cause. Elle peut être assez forte pour provoquer un sentiment de manque d'énergie alors qu'il est très rare qu'une personne n'ait pas assez de réserves pour la faire tenir jusqu'au prochain repas. Ce genre de faiblesse est vécu seulement quand on se trouve en grand manque de nourriture (par exemple l'anorexique) ou en profond déficit d'un élément nutritif important. Voilà une autre occasion pour apprendre à lâcher prise face à une peur.

Il est vrai que j'ai mentionné plus haut qu'il est possible certains jours que notre corps préfère plusieurs petits repas et que, d'autres jours, un ou deux bons repas s'avèrent suffisants. L'attitude idéale à adopter consiste à décider que tu as le droit de manger de n'importe quelle façon, que tu n'as de comptes à rendre à personne et que ce sera seulement toi qui auras à assumer les conséquences de tes décisions.

En sachant que tu as le droit de manger autant de fois que tu le désires, il sera alors plus facile de ne pas te sentir obligé de prendre de gros repas. Car tu sauras que, si jamais la faim se fait sentir plus tard, tu peux toujours manger un petit quelque chose.

Au début, je te suggère de continuer d'avoir en ta possession un en-cas. Par contre, il est important de choisir cet en-cas. Des petits bonbons à sucer ou une boîte de petits gâteaux n'aideront sûrement pas à assouvir ta faim d'une façon bénéfique. Il serait préférable de te procurer des aliments qui offrent un bon apport énergétique, comme des amandes naturelles par exemple.

Peu à peu, tu apprendras que ce genre de faim n'est pas sérieux. Tu n'auras plus besoin de toujours grignoter par peur de te sentir mal si tu as trop faim. Cependant, n'oublie pas de rappeler à ton corps de ne pas s'inquiéter que, dès que tu en auras la possibilité, tu vas le nourrir. Ton intention n'est pas de le mettre à la diète ni de lui faire croire que la famine est arrivée ou arrive.

Variété d'aliments

J'ai remarqué, avec les années, que la plupart des gens s'habituent à une certaine alimentation et oublient d'expérimenter d'autres variétés plus récentes. Si c'est ton cas, il est fort probable que tu aies aussi de la difficulté à dire oui aux nouvelles situations qui se présentent dans ta vie, et surtout celles qui sont hors de ton contrôle.

Le fait d'oser goûter à au moins un nouvel aliment chaque semaine peut avoir des répercussions très surprenantes pour toi. Es-tu prêt à t'ouvrir à de nouvelles expériences dans ta vie, t'aidant ainsi à développer ton discernement ? Alors, pourquoi ne pas commencer dans le domaine de l'alimentation ? Non seulement ton corps sera heureux de cette initiative, mais il en résultera un avantage supplémentaire : celui de développer tes papilles gustatives.

Il est possible que certaines personnes soient réticentes à goûter à de nouvelles choses du fait qu'étant jeunes, ce qu'on leur proposait de nouveau était soit mal préparé ou de mauvaise qualité. Ce n'est plus le cas aujourd'hui puisque c'est toi qui as la liberté de choisir la qualité de l'aliment que tu souhaites expérimenter.

Au fur et à mesure que tu goûteras à un nouvel ingrédient, et ce, au moment où tu as faim et en mastiquant bien, tu sauras immédiatement si ton corps aime ce choix. En cas d'incertitude, rien ne t'empêche d'y revenir plus tard.

S'alimenter d'une façon naturelle

Il est de plus en plus difficile de se nourrir d'aliments naturels, car on absorbe toujours plus de produits chimiques, et ce, sans nous en rendre compte la plupart du temps, ce qui intoxique notre corps – en plus de tout ce que nous respirons et qui est absorbé malgré nous par ce dernier. Ce phénomène s'est grandement accéléré depuis la Deuxième Guerre mondiale, suite à des changements majeurs produits dans les pays industrialisés. Même les enfants qui ont été habitués, dès leur naissance, à manger d'une façon naturelle, se retrouvent avec cette difficulté à partir de l'adolescence. Ils se laissent tenter par la malbouffe.

L'agriculture s'est complètement transformée en raison d'une grande quantité de pesticides. L'élevage des animaux, n'étant plus naturel, nous transfère des produits toxiques dont notre corps n'a pas besoin. Par exemple, on nourrit les animaux avec des acides gras très riches en oméga-6 et très peu en oméga-3. Pourtant, ces derniers sont essentiels au corps humain car celui-ci ne peut les fabriquer. Les animaux (que j'appelle les animaux heureux) qui s'alimentent naturellement – d'herbe dans les champs par exemple – produisent une quantité égale d'oméga-6 et d'oméga-3.

Cela signifie que, lorsque nous mangeons la chair ainsi que les produits de ces animaux heureux, comme le lait et les œufs, nous disposons d'une alimentation équilibrée. Toutefois, lorsque nous mangeons la chair d'animaux qui proviennent d'élevages modernisés, devenu « normaux » au lieu de naturels, nous affectons l'équilibre de notre corps. Nous le gavons en conséquence de produits qui encrassent notre métabolisme. Plusieurs chercheurs en sont venus à la conclusion que ces acides gras riches en oméga-6, que nous retrouvons non seulement dans la viande mais également dans les huiles, sont en fait la cause principale – du point de vue scientifique – de l'important fléau d'obésité dont les pays industrialisés souffrent davantage.

Voilà une raison suffisante pour décider de choisir des aliments le plus naturels possible. Il y a de bons livres à cet effet ainsi qu'un vaste choix toujours plus grandissant d'endroits où se procurer ces aliments. Cette allusion n'est pas une invitation à devenir végétarien. En effet, « naturel » ne veut pas nécessairement dire « végétarien ». Si ton corps te réclame de la viande, du lait, des œufs, le fait de lui procurer des aliments bios fait une grande différence. Au lieu de me croire sur parole, je préfère que tu l'expérimentes. Si tu manges de la viande provenant d'animaux élevés et nourris naturellement pendant au moins trois mois, vérifie la différence que cela produit sur ton attitude et ton comportement, en comparant les effets produits lorsque tu manges des produits issus d'animaux remplis de peurs, de colère et de rage – suite aux traitements infligés par certains producteurs –, en plus de ce qui se passe à l'abattoir.

Manger naturel et bio est avant tout un acte d'amour envers soi-même. Comme on sait que nos trois corps ne peuvent être dissociés, notre vie en général se trouve donc affectée quand on s'alimente de cette façon. Si tu prends la décision de t'alimenter d'une façon plus naturelle à partir de maintenant, tu découvriras qu'il te sera plus facile d'être équilibré aux plans émotionnel et mental, que tu pourras vivre librement selon ta propre nature, conformément à ce que tu es maintenant et ce que tu veux être.

Même avec la plus grande volonté du monde de vivre dans un environnement naturel, il est impossible de nos jours de ne pas être exposé à des produits chimiques, lesquels nous sont imposés à notre insu. Voilà pourquoi il est important que nous fassions notre part aussi souvent que nous le pouvons, afin d'aider notre corps. Chaque fois que tu donnes à ton corps des aliments non naturels, ces derniers affaiblissent ton métabolisme. Tu te rends compte alors que tu as également des façons de penser, des croyances qui t'affaiblissent en général.

L'exercice physique
pour détoxifier le corps

Un moyen très recommandé pour t'aider à détoxifier ton corps est l'exercice physique. Même si tu prends la décision de manger naturel et bio, toutes ces toxines qui se sont accumulées dans ton corps ont besoin d'être éliminées.

Le stress, même s'il est psychologique, s'avère un facteur qui affecte notre corps de façon importante, car il contribue à accumuler des toxines. Tout stress est associé à de la peur. Dès que nous avons peur, les glandes surrénales produisent de l'adrénaline qui a la propriété d'aller chercher l'énergie nécessaire dans les tissus et organes pour nous aider à faire face à cette peur. Dès lors, tout s'ensuit, le cœur bat plus rapidement, notre respiration s'accélère, notre pression sanguine s'élève, etc. Puisque la peur n'est pas réelle, c'est-à-dire qu'il n'y a pas un réel danger pour notre vie – elle est donc imaginaire –, cette énergie n'est pas utilisée physiquement pour nous défendre et reste coincée dans notre corps, affectant ainsi tout notre métabolisme.

Le fait d'adopter une activité physique régulière – au moins quatre ou cinq fois par semaine – est une façon d'aider ton corps à se libérer de ce surplus de toxines. D'ailleurs, c'est un des besoins primaires du corps. Donc grâce à l'exercice physique, tu aides non seulement à détoxifier ton corps mais tu permets à ce dernier d'écouter un besoin important, d'autant plus qu'une activité physique est un excellent moyen pour se défouler. Passer une journée assis à un bureau et s'affaler par la suite devant la télé n'est pas naturel. Le corps crie AU SECOURS.

Je reconnais qu'il n'est pas toujours facile de se lever plus tôt le matin ou de prolonger une journée de travail éreintante pour marcher, faire du vélo ou un sport quelconque. Par contre, ce n'est que la minute nécessaire pour se décider qui s'avère la plus difficile. Une fois dans le feu de l'action, nous sommes fiers de notre décision. Nous pouvons sentir à quel point notre corps est heureux.

Si tu es du genre à avoir du mal à te discipliner et que tu oublies rapidement tes bonnes résolutions, au lieu de te taper sur la tête, de te culpabiliser, donne-toi le temps nécessaire pour que ça devienne une habitude bien ancrée en toi. Bien souvent, ceux qui lâchent en cours de route sont ceux qui, au début, s'en demandent trop. Tu peux commencer à raison de deux jours par semaine pendant un mois et augmenter graduellement au rythme d'un jour par semaine tous les mois. Ce sera ainsi moins drastique et plus encourageant.

Il est aussi recommandé d'essayer différents exercices physiques, que ce soit du yoga physique ou par le biais d'appareils de musculation, afin de découvrir ceux qui te plaisent le plus. Varier les mouvements ou choisir des appareils distincts est en soi une bonne idée, du fait que chaque exercice sollicite des muscles différents. On sait cependant que la marche demeure l'exercice par excellence, car elle fait bouger presque tous les muscles du corps et procure par la même occasion un massage à tes organes internes. Cette marche se doit d'être toutefois assez rapide en ayant les mains libres et en laissant les bras se balancer. En plus, si tu prends le temps d'être conscient de ton inspiration et de ton expiration durant la marche, tu ajoutes un bénéfice supplémentaire à ton geste. En effet, l'air que l'on respire contient une forme d'énergie subtile nommée *prana* qui consiste en une nourriture naturelle dont le corps physique ainsi que les corps subtils – émotionnel et mental – ont besoin. Ce *prana* peut même contribuer à réduire la faim, en plus d'être non calorique !

Il est maintenant connu que les activités physiques provoquent dans le cerveau la sécrétion d'hormones appelées endorphines. Les propriétés de ces dernières sont comparables à celles de la morphine. Elles sont relaxantes, donc excellentes pour contrer les peurs et le stress, en plus d'être stimulantes et énergisantes.

Un autre avantage à l'exercice est la présence de la communion intime avec ton corps grâce à l'attention que tu lui portes. Celui-ci aura beaucoup plus envie de collaborer avec toi, par exemple, de t'indiquer d'une façon plus claire et précise si tu as vraiment faim, ce dont tu as besoin au moment où tu as faim et à quel moment il est rassasié.

S'il advenait qu'il te soit un jour impossible de faire de l'exercice ou une activité physique et que, de plus, tu sentes ce jour-là beaucoup de tension, de stress, tu peux utiliser le moyen suivant : tu trouves un endroit – ce peut être un coin chez toi – où tu peux crier, frapper un coussin, pleurer tant que tu veux. Donne-toi une dizaine de minutes pour le faire et, par la suite, tu dis d'une voix ferme et pleine de force C'EST ASSEZ.

Il te sera plus facile ensuite de te livrer à une introspection et de découvrir quelles sont les peurs en toi
– et pour toi – qui ont généré et provoqué autant de
stress. Comme tu peux le constater, il y a plusieurs
façons de lâcher prise envers bien des choses inutiles
dans notre vie.

La respiration

Prendre le temps de bien respirer est aussi un facteur important pour aider à lâcher prise. Pendant que
tu lis ce livre, as-tu remarqué que tu n'es pas vraiment
conscient de ta respiration ? Tu laisses assurément
entrer l'air dans tes poumons d'une façon involontaire.
Ce phénomène se produit presque toute la journée.
Nous sommes tellement pris par nos activités que nous
oublions cette fonction vitale. Même si la respiration
est une fonction du corps totalement autonome, elle
est aussi facilement contrôlable par la volonté. Voilà
pourquoi il est bon d'utiliser tous les moments où cela
s'avère possible pour prendre le temps de bien inspirer
et expirer.

Quand on parle de bien respirer, il ne s'agit pas de
prendre de longues inspirations, car cela pourrait provoquer un problème d'hyperventilation. Quelques longues
inspirations et expirations sont suggérées seulement
pour se détendre. Être conscient de ta respiration
signifie observer l'air qui entre dans tes poumons,
suivre son mouvement – et non le forcer – jusqu'à ce
que tu sentes tes côtes se dilater. Tu sais ainsi que l'air a
rempli correctement tes poumons. Tu sens ensuite tes
côtes se contracter lorsque l'air est expiré.

Cette respiration salutaire apporte plusieurs bienfaits, tels que t'aider à être plus calme, plus en contact avec ton corps ainsi qu'à améliorer ton aptitude à écouter tes besoins. Il est impossible de s'intérioriser véritablement si on respire très peu. Exerce-toi à être conscient de ta respiration aussi souvent que possible... en conduisant ton auto, en faisant la queue à la banque ou au supermarché... et peu à peu, tu seras davantage maître de ta respiration.

En outre, lorsque tu absorbes des aliments, le fait d'inspirer et d'expirer consciemment au moins une fois entre chaque bouchée t'aidera à détecter le moment où tu n'as plus faim. Lorsque tu rempliras ton registre journalier à la fin de chaque jour, pourquoi ne pas y ajouter le nombre de fois où tu as été conscient de ta respiration ?

Lumière, énergie et remerciement

Chaque fois que tu ingères de la nourriture, c'est une bonne idée de visualiser cet aliment baignant dans la lumière. Cela aide à dynamiser tout ce que tu ingères. En fait, tu n'as pas besoin de croire à cet énoncé. Quand j'ai commencé à pratiquer cette nouvelle habitude, je n'avais aucune idée de ses bienfaits. Je me suis alors dit *Qu'ai-je à perdre ?*. Quand tu apprends quelque chose qui n'est pas susceptible de te faire de tort et qui a plutôt de fortes chances d'être bénéfique pour toi, pourquoi ne pas y adhérer ? Je suis consciente d'avoir beaucoup plus d'énergie que la moyenne des gens de mon âge et je l'attribue, en grande partie, à toutes ces bonnes habitudes que j'ai acquises au fil des années.

J'utilise cette méthode surtout lorsque je suis au restaurant ou que je consomme des aliments qui ne sont pas très naturels, dans des circonstances où je n'ai aucun contrôle sur leur qualité. J'entoure mes aliments de lumière tout en disant à mon corps d'absorber seulement ce qui est bon dans ce que j'ingère et d'éliminer au plus vite ce qui n'est pas bénéfique pour moi.

Dans un même temps, le fait de remercier toutes les personnes qui ont contribué à la réalisation de cet aliment ou de ce plat, à partir de la semence jusqu'à la préparation, ajoute un autre élément très énergisant, car toute reconnaissance énergise la personne reconnue ainsi que la personne reconnaissante.

Si tu es en train de penser que tu ne pourras jamais te souvenir de ce qui est énoncé plus haut chaque fois que tu absorbes quelque chose, je comprends ton appréhension. Ça demande de la pratique avant que ça devienne une habitude. Toute bonne habitude ne peut qu'engendrer des conséquences formidables pour toi. Voilà une autre grande marque d'amour de soi. **Souviens-toi que tu reçois de l'amour de la part des autres au même degré que celui que tu te donnes.**

Commence par une habitude à la fois et lorsque celle-ci est bien implantée et qu'elle fait partie de toi, tu peux donner suite à une autre. C'est comme apprendre à conduire une auto. Au début, ça demande des efforts pour penser à tout, mais peu à peu, ça devient facile. Tu réaliseras au bout du compte que ce réflexe ne requiert que quelques secondes à chaque repas. Un petit code personnel pourrait te faciliter la tâche. Par exemple, le mot AMOUR ou LUMIÈRE bien en évidence dans ta cuisine. Toutes les méthodes susceptibles de t'aider, en l'occurrence, sont précieuses.

Savoir si c'est bénéfique pour soi

Quand tu as une envie soudaine de manger quelque chose qui est catalogué comme « non bénéfique » dans ton système de croyances, arrives-tu à reconnaître si cette envie qui fait irruption répond ou non à un besoin de ton corps ? Le seul moyen que je connaisse est de retarder cette envie pour quelque temps, de s'occuper à autre chose et, si cette dernière est vite oubliée, c'est signe que ce n'était qu'un désir passager et non un besoin. Par contre, si l'envie de cet aliment est toujours présente plusieurs heures plus tard, de grâce fais-toi plaisir et déguste-le avec amour.

Je recommande seulement de faire cela lorsque tu as envie d'un aliment considéré comme « pas bon » pour toi, car je te rappelle que, si tu as vraiment faim, il est mieux de manger tout de suite.

Même si ton corps n'en a pas vraiment besoin, cet aliment te sera bénéfique au-delà du physique. C'est probablement le seul moyen que tu connaisses de te récompenser à cette minute. En t'acceptant dans cette incapacité de te récompenser à ce moment-là d'une autre façon, tu arriveras à le faire beaucoup plus vite. Autrement, si tu n'écoutes pas cette envie persistante et que tu te retiens, tu sais que tu perdras le contrôle à un moment ou à un autre.

Si tu es de ceux qui cherchent à satisfaire tous leurs moindres désirs et caprices sur-le-champ, sans vérifier s'ils en ont besoin, dans différents domaines de leur vie, tu dois aussi faire partie de ceux qui exigent immédiatement ce dont ils ont envie de manger.

Ce genre de comportement est souvent induit par un manque affectif.

Comment arriver à faire preuve de plus de discernement pour savoir si un aliment est bénéfique ou non ? En te donnant le droit de tout expérimenter, de manger et de boire ce qui te chante tout en étant conscient de ce qui se passe en toi, et surtout faire fi de ce que les autres te racontent. Personne au monde ne peut vraiment savoir ce qui est bon ou non pour quelqu'un d'autre. Quelque chose peut être très bénéfique pour une personne et ne pas l'être pour une autre.

Un excellent moyen pour reconnaître si ce que tu t'apprêtes à ingérer est bénéfique pour ton corps – donc s'il en a vraiment besoin – est de bien mastiquer la première bouchée, la mastiquer jusqu'à ce que ça devienne complètement liquide. Il m'arrive parfois d'avoir vraiment envie de quelque chose et, dès cette première bouchée bien mastiquée, l'aliment devient acide dans ma bouche ou dégage un goût désagréable. Je sais ainsi que cette envie ne répond pas à un vrai besoin. Il est plus facile par la suite de faire le lien avec cette fausse envie et ce qui se cache derrière.

Je te fais part d'un exemple personnel pour illustrer ce fait. Un jour que j'étais chez moi en fin d'après-midi, à la suite d'une période intense d'écriture suivie de quelques appels téléphoniques, j'ai eu une envie irrépressible de manger des chips. La première bouchée me laissa presque aussitôt un goût acide dans la bouche. Pourquoi donc avais-je éprouvé ce besoin ? La réponse m'est apparue en une fraction de seconde. Ma patience avait été soumise à rude épreuve lors des appels téléphoniques. Je m'étais heurtée à des boîtes vocales qui m'offraient différents choix, lesquels s'avéraient inutiles pour mon besoin. Suite au dernier appel et après plusieurs périodes d'attente avec le même message de publicité, accompagné d'une voix qui nous invite à patienter, j'apprends qu'un transfert s'impose et, pour une raison ou pour une autre, je dois recommencer cette longue litanie de messages. Bref, à bout de patience, j'ai raccroché avec force. J'en avais assez et c'est à ce moment-là que je me suis retrouvée à la cuisine.

Ces chips, dont j'avais une irrésistible envie et dont je croyais avoir vraiment besoin, avaient eu pour rôle d'apaiser ma colère. À ce moment-là, je ressentais le besoin immédiat de croquer dans quelque chose afin de compenser le ton mordant que j'aurais voulu avoir avec ces représentants. Je m'étais retenue avec ces derniers, sachant qu'ils n'y étaient pour rien, que ce genre de décision relevait de leur société. Je me suis retenue de plus parce que je me serais sentie coupable d'exprimer ma colère, sachant que ces gens qui travaillent au département du service dédié à la clientèle sont en général des personnes patientes et très aimables. Il est donc difficile d'être sec et impatient avec eux, sans éprouver de culpabilité par la suite. Voilà d'où m'est venue cette envie de compenser par quelque chose de sec et croustillant dont je n'avais pas besoin.

Les fois où je mange ce genre de chips et que je les trouve bonnes sont celles où je me donne le droit de compenser, et ce, sans culpabilité. Je te rappelle qu'écouter son corps ne signifie pas que nous lui donnons TOUJOURS ce dont il a besoin. Écouter son corps et écouter ses besoins sont deux choses différentes. **Écouter son corps, c'est se servir de notre corps physique (et dans ce cas, notre façon de nous alimenter)**

151

pour devenir conscient de ce qui se passe à l'intérieur de nous. Écouter ses besoins, c'est savoir ce dont nos trois corps (physique, émotionnel et mental) ont vraiment besoin.

Ensuite, si nous éprouvons de la colère, de l'impatience, de la tristesse, de l'ennui, de l'agressivité, etc., nous sommes en mesure de découvrir notre degré d'acceptation de ces émotions en observant si nous éprouvons de la culpabilité dans notre choix d'aliments susceptibles de nous aider à compenser ces émotions et sentiments.

Prenons l'exemple d'une personne qui éprouve de la colère face à un collègue de travail. Elle arrive chez elle avec l'envie de se défouler sur quelque chose et elle se retrouve devant le bac de crème glacée. Pendant qu'elle mange cette glace, si elle est consciente qu'elle n'a pas besoin de cet aliment, mais qu'elle a besoin de se défouler ainsi, elle saura arrêter avant d'avoir englouti tout le bac car elle se donne le droit d'agir ainsi pour le moment. Si, en plus, elle dit à son corps qu'elle reconnaît le fait de n'avoir aucun besoin de cet aliment et qu'elle lui demande d'être assez indulgent pour éliminer ce dont il n'a pas besoin le plus rapidement possible, il n'y aura aucun effet nocif. Le fait de le remercier d'avance pour ce travail supplémentaire qu'elle lui impose indique de l'amour de sa part plutôt que de la culpabilité.

Je dois te prévenir par contre qu'il n'est pas toujours facile de savoir si on s'accepte véritablement. Ainsi, on peut s'imaginer qu'on s'accepte sans que ce soit vraiment le cas. Comme pour la plupart des gens, on doit franchir plusieurs étapes au niveau de l'acceptation.

- La première, en général, consiste à se priver, à se contrôler, tellement on considère certain comportement comme inacceptable.
- Ensuite, on fait ce geste mais en se sentant coupable par la suite.
- La troisième étape consiste à s'imaginer qu'on s'accepte en niant notre culpabilité.
- Et enfin, on arrive à s'accepter.

Ce n'est qu'après cette dernière étape que nous arrivons à maîtriser la situation. Je dis bien maîtriser et non contrôler. Nous savons que c'est de la maîtrise lorsque nous choisissons de faire un geste volontairement, en étant prêt à en assumer les conséquences. Une façon de savoir si on s'accepte véritablement est d'observer l'attitude des autres face à soi. S'ils nous culpabilisent, s'ils nous jugent, c'est signe que nous nous sentons encore coupables.

Ceux qui ne parviennent pas au stade d'acceptation peuvent en arriver à souffrir de boulimie, d'anorexie ou d'hyperphagie. En effet, il y a une nette augmentation de ces troubles alimentaires, surtout dans les pays industrialisés. Quel est le lien entre ces problèmes plus sérieux – et même parfois très graves – et ce qui se passe au plan psychologique ? Si tu souffres d'un de ces problèmes, voici ce que tu peux apprendre sur toi…

Boulimie

La personne souffrant de boulimie vit régulièrement une sensation incontrôlable de faim, la conduisant à s'alimenter de manière compulsive et excessive. Ensuite, elle se fait vomir, se purge ou fait de l'exercice d'une façon démesurée afin de maintenir son poids. Selon les statistiques, ce problème concerne neuf femmes pour un homme.

J'ai mentionné au début du livre que notre façon de nous alimenter a un lien direct avec la relation avec notre maman, ou celle qui en a joué le rôle dès l'enfance. Si tu souffres de boulimie, ton corps te dit qu'une partie de toi est en manque profond de ta mère, au point que tu voudrais la dévorer pour bien l'intégrer en toi. Par la suite, tu la rejettes quand tu te fais vomir. Tu vis une grande contradiction intérieure. Et ce, probablement depuis que tu es très jeune. On peut retrouver dans ce problème de boulimie des situations de rejet et d'abandon pour toi ainsi que pour ta mère. Une partie de toi veut accepter ta mère telle qu'elle est – c'est ton cœur qui parle – et une autre partie veut la rejeter – c'est alors ton ego, la partie qui souffre qui prend le dessus. Tu agis ainsi avec les femmes de ton entourage, ainsi qu'avec toi-même si tu es de sexe féminin. Tu veux les accepter et, en même temps, tu cherches à les rejeter. Tu te retrouves sans cesse en conflit. Quand tu veux accepter ta mère, tu as peur car tu ignores comment le faire ou tu crains les conséquences, et ainsi tu bascules dans le rejet. Puis, quand tu es en phase de rejet, tu ne te sens pas bien. Voilà pourquoi tu vis ce cercle vicieux.

Quelles que soient les raisons pour lesquelles tu as des difficultés à accepter ta mère, ton problème de boulimie est un urgent message qu'il est grand temps pour toi de faire la paix avec elle, de l'accepter telle qu'elle est. Comme il y a une perte de contrôle dans ce problème de boulimie, trouve le lien avec le contrôle que ta mère exerçait sur toi ou le contrôle que tu aurais voulu avoir sur elle. C'est comme si tu voulais la contrôler et en même temps la détruire.

Si tu as toujours ce problème, ta mère et les femmes qui te rappellent ta mère ont le don d'éveiller ta souffrance et c'est ce qui te pousse à la boulimie. La frustration dans tes relations avec les femmes est souvent la cause d'une crise de boulimie. Cette dernière devient un automatisme et, lorsque tu t'en rends compte, il est déjà trop tard. Au lieu de te sentir coupable, dis-toi que tu es victime de cette boulimie pour le moment et que, peu à peu, tu arriveras à être ton propre maître ; que c'est au-delà de tes possibilités de régler ce problème dans l'immédiat. Dès que tu prendras la décision de faire la paix avec ta mère, le problème s'estompera. Il s'agit de te décider et ensuite de passer à l'action.

Faire la paix avec ta mère signifie avoir de la compassion pour elle. Sache qu'elle a vécu la même chose avec sa mère, qu'elle a souffert au même degré que toi. Lui parler de tes sentiments pourrait assurément vous aider tous les deux. Quand je dis avoir de la compassion, je ne parle pas d'être d'accord avec tout ce qui s'est passé avec elle, ça veut dire te mettre à sa place et sentir qu'elle a les mêmes blessures que toi et que vous deux devez vous pardonner d'avoir eu un comportement de rejet l'un envers l'autre. Tu trouveras plus de détails au sujet de ce pardon dans le prochain chapitre. Quiconque rejette une autre personne ne fait pas nécessairement preuve de méchanceté. Il souffre tout simplement et ne connaît pas d'autres moyens pour gérer la situation à ce moment-là. Il a tellement peur de rejeter, que c'est exactement ce qu'il fait. Tu te souviens n'est-ce pas que plus on se promet de ne plus recommencer, plus on recommence.

Hyperphagie

L'hyperphagie se présente comme la boulimie, excepté que le sujet n'utilise pas un moyen pour rejeter l'importante quantité de nourriture qu'il vient d'absorber. Elle est plutôt caractérisée par un grignotage permanent ou par une prise alimentaire largement supérieure à la moyenne. Cette personne souffre donc d'un excès de poids, contrairement à celles qui sont boulimiques ou anorexiques. Ces dernières sont plutôt obsédées par la peur de prendre du poids.

Si tu te reconnais dans cette problématique, cela signifie que tu veux *bouffer* ta mère sans arrêt : tu n'en as jamais assez. Tu es sans doute très fusionnel avec elle. Par contre, la nourriture affective que tu reçois de ta mère n'est pas celle que tu recherches ou que tu attends d'elle. Tu te sens souvent insatisfait. Une partie de toi voudrait être moins dépendante de ta mère et une autre partie ne peut s'en passer. Cette attitude est inconsciente la plupart du temps car tu refuses de sentir la souffrance vécue avec elle. Se peut-il que tu remplisses ton corps pour arriver à mieux sentir ce que tu vis avec ta mère ? Est-il possible, de plus, que tu t'autodétruises à manger de cette façon parce que tu te sens coupable face aux reproches que tu fais (en pensée) à ta mère ? Ta façon actuelle de t'alimenter est là pour t'aider à devenir conscient de ce que tu vis avec elle.

J'ai connu un homme qui pouvait absorber une grande quantité de nourriture en l'espace de quelques minutes seulement. J'ai eu l'occasion de l'observer à plusieurs reprises alors que j'étais chez lui, sans qu'il se rende compte que je pouvais l'observer à distance. Si je ne l'avais pas vu de mes yeux, je l'aurais cru quand il déclarait avoir très faim au moment de se mettre à table, une demi-heure plus tard. Au cours du repas, il consommait une bonne portion comme à l'habitude. Il ne semblait nullement se souvenir de son absorption alimentaire clandestine dans le coin de sa cuisine. Par conséquent, cet homme a toujours eu un problème d'obésité.

Quand j'ai commencé à m'intéresser aux troubles du comportement alimentaire, je lui ai alors posé plusieurs questions sur sa relation avec sa mère. Il m'a raconté qu'il avait toujours eu honte de sa mère et qu'un jour il avait estimé n'avoir plus rien en commun avec elle et pris la décision de couper les ponts. Il m'a aussi confié que, au moment de son décès, il n'a rien ressenti et qu'il ne l'a jamais pleurée et qu'elle ne lui a jamais manqué. J'ai compris à quel point il était enfermé dans le déni au sujet de sa maman. Surtout quand j'ai appris qu'il ne comprenait pas pourquoi elle racontait aux autres membres de la famille qu'il avait toujours été son préféré et qu'il lui manquait beaucoup. S'étant toujours contrôlé pour éviter de ressentir son besoin légitime envers sa mère et la culpabilité de s'être complètement coupé d'elle, il perdait le contrôle dans la nourriture. Il ne voulait absolument pas avouer qu'il avait besoin de sa maman.

Si tu constates que tu souffres d'hyperphagie, je te suggère aussi de faire la paix avec ta mère et avec toi-même, tel qu'expliqué dans les pages consacrées à la boulimie ainsi qu'au dernier chapitre.

Anorexie

En médecine, l'anorexie est définie de deux façons. Il y a l'**anorexie fonctionnelle** qui est la perte d'appétit. Ensuite il y a l'anorexie mentale qui est un trouble psychique qui se traduit notamment par une perte de poids importante. Cette dernière est liée à une restriction alimentaire déterminée *volontairement*, même si les causes de ces privations auto-infligées restent inconscientes pour les personnes qui en souffrent. En résumé, dans l'anorexie mentale, le patient lutte contre la faim, tandis que, dans l'anorexie fonctionnelle, il a perdu l'appétit.

Si tu souffres d'**anorexie mentale**, c'est une indication que tu rejettes complètement ta mère. Il est également démontré que neuf femmes sont affectées pour un homme.

Si tu es de sexe masculin, ta mère a été ton premier modèle du principe féminin. En rejetant ta mère, cela signifie que tu rejettes aussi le principe féminin en toi. Tu dois aussi être porté à rejeter les femmes sans trop savoir pourquoi.

Si tu es une femme, tu rejettes la maman et la femme en toi, ainsi que ta féminité. Si tu as des enfants, tu dois certainement redouter le fait d'être ou de devenir le même genre de maman que devait être ta mère et, faisant tout ce que tu peux pour revêtir le rôle de la maman parfaite, tu es rarement en accord avec toi-même. Il est fort probable que tu te remettes souvent en question en tant que femme/mère.

Afficher un corps très maigre, très peu attirant au plan sexuel, peut te sembler une bonne idée – inconsciemment – pour rejeter le fait de devenir une femme. C'est pour cette raison que le problème d'anorexie survient en grande partie chez les adolescentes, au moment de leur puberté.

Le problème apparaît moins sérieux si c'est de l'**anorexie fonctionnelle,** car celle-ci est temporaire. Elle se déclenche en général suite à un traumatisme, un choc ou une maladie importante. Ce genre de rejet de la femme n'est donc pas permanent. L'anorexie mentale, pour sa part, produit des effets beaucoup plus nocifs. Certaines personnes peuvent même en mourir.

La recherche de perfection – non réaliste – est aussi très présente chez les anorexiques. Il est urgent que tu deviennes conscient de la personne formidable que tu es, en apprenant à t'autoriser à te faire plaisir plutôt que de te couper de tout plaisir alimentaire et sexuel. Le fait de te rejeter à ce point indique que tu éprouves régulièrement de la culpabilité face à ce que tu es et ce que tu fais. Tu t'en demandes beaucoup trop, tes attentes sont très irréalistes.

Si tu crois que te priver ainsi du plaisir physique va t'aider à compenser ta culpabilité, je regrette de devoir t'annoncer que cette croyance est erronée. Plus tu veux te punir, plus ta culpabilité grandira. Au lieu d'entretenir de la culpabilité face à ce que tu es, pourquoi ne pas décider de croire que, quelles que soient tes décisions d'être ce que tu veux dans ta vie, ce sera toujours toi qui devras en assumer les conséquences. De plus, accepte le fait qu'**il n'y a pas d'erreurs dans la vie, il n'y a que**

des expériences qui nous aident à développer notre discernement.

Tu peux donc choisir d'être ce que tu veux et faire ce que tu veux pour devenir ce que tu veux être, sans pour cela avoir à rendre de comptes à personne. Et surtout te permettre davantage de plaisirs dans ta vie. C'est en assumant les conséquences de tes choix et décisions que tu deviendras conscient de ce qui est intelligent et bénéfique pour toi.

Voilà la raison principale pour laquelle une personne devrait décider de transformer tel ou tel aspect de sa personnalité. Elle peut ainsi découvrir ce qui est plus judicieux pour elle. Elle ne doit pas essayer de se changer parce qu'une petite voix en elle lui dit que ce n'est pas bien, la culpabilisant donc d'être ce qu'elle est. Elle doit plutôt écouter la voix de son cœur qui la supplie de s'accepter ; c'est elle qui a raison. En s'acceptant, il lui sera plus facile d'accepter sa mère qui a aussi souffert de rejet, tout comme elle.

Comportement obsessionnel

Les trois troubles du comportement alimentaire précités sont associés à des troubles obsessionnels. Il peut cependant y avoir également d'autres sortes de comportements d'ordre obsessionnel au sujet de l'alimentation.

Par exemple : fais-tu partie de ceux qui planifient leur menu plusieurs jours à l'avance, en prenant bien soin d'éviter certains produits jugés « mauvais » par toi ? Ou te prives-tu de plusieurs aliments que tu aimes pour t'assurer de toujours manger sainement ? Est-ce que tu recherches la perfection totale dans ton alimentation, au point de t'isoler de plus en plus de toute vie sociale et familiale ? Voilà plusieurs comportements d'ordre obsessionnel.

En général, ces comportements sont utilisés pour essayer d'apaiser une anxiété profonde. C'est pour cette raison que ce genre de personne compense par son alimentation, et ce, en se contrôlant ou en perdant le contrôle. C'est comme si, au moment où survient cette anxiété, c'était, selon elle, le seul moyen à sa portée pour diminuer son anxiété. Ça devient un cercle vicieux. Car le moyen utilisé pour diminuer son anxiété lui cause une autre forme d'anxiété, celle de se sentir impuissante à freiner ce comportement obsessionnel.

Il a été remarqué en psychanalyse, et j'ai aussi pu le vérifier à plusieurs reprises, qu'un grand pourcentage des personnes aux prises avec des troubles du comportement alimentaire ont vécu un abus sexuel dans leur enfance ou adolescence. Quand on parle d'abus sexuel, on ne parle pas nécessairement d'acte sexuel. Certains enfants et adolescents peuvent se sentir abusés dans leur corps, seulement avec des regards ou des paroles insinuantes de la part d'adultes qui jouent le rôle de parents. La peur d'un abus sexuel peut également causer autant de dommages que l'abus lui-même. Par exemple, la jeune fille qui voit son père commettre l'inceste avec sa grande sœur peut en être traumatisée, et ce, même si son père ne la touche pas elle personnellement.

On relie souvent l'appétit sexuel avec l'appétit alimentaire. D'après la réaction de l'enfant, cela détermine comment cet appétit sera affecté plus tard. Une petite fille qui, par exemple, a accepté d'une certaine façon l'abus, car c'était le seul genre d'affection qu'elle recevait, peut réagir en se traitant de dépravée, de putain.

Elle se promet bien de retenir ses pulsions sexuelles, ce qui se traduira par une perte de contrôle dans la nourriture. De plus, le fait d'avoir un gros corps ou, à l'inverse, un corps très maigre lui fait croire qu'elle sera moins désirable, donc courra moins de risques de s'attirer ou de se retrouver dans des situations d'abus.

Je me suis rendu compte au cours de mes vingt-sept années d'enseignement, après avoir rencontré de nombreuses personnes ayant un caractère de type obsessionnel, que ces gens sont des culpabilisés passifs avec un sentiment d'infériorité aussi important que le sentiment de culpabilité. Étant de nature passive, ces sentiments sont refoulés et s'intensifient à leur insu. Ils développent, par conséquent, une grande rancune et même souvent de la haine envers un de leurs parents ou une personne ayant joué ce rôle. La haine se développe lorsque nous refoulons ou nions la douleur que nous éprouvons.

Pourquoi cette rancune engendre-t-elle un caractère obsessionnel ? Parce que ce genre de personne repousse tellement cette rancune, la niant complètement, que celle-ci, sous forme d'élémental, grossit sans cesse, donc prend de plus en plus de place dans ses corps émotionnel et mental. Cela demande à cette personne davantage de force psychique et d'attention constante afin de nier cette rancune, causant ainsi une fixation. Voilà pourquoi cette personne développe un caractère obsessionnel. Plus la rancune ou la haine est forte, et plus l'obsession prend de l'importance.

J'ai aussi eu le plaisir d'observer la grande différence d'attitude et de comportement chez ces personnes, après qu'elles ont véritablement pardonné à l'autre personne ainsi qu'à elles-mêmes. Je ne peux m'empêcher de parler de pardon dans tous les livres que j'écris, dans tous les ateliers d'Écoute Ton Corps, de même que dans toutes mes conférences. J'ai tellement vu de miracles se produire suite au pardon, que je sais au plus profond de moi que c'est le moyen par excellence pour parvenir à la guérison autant physique qu'émotionnelle et mentale. Voilà pourquoi j'en parle davantage dans le prochain chapitre.

S'accepter et s'aimer
dans ses choix

Je reviens toujours sur l'amour véritable dans mes livres, mes ateliers et mes conférences. Pourquoi ? Parce que nous avons tous besoin de nous le faire répéter, répéter et encore répéter. Même si je l'enseigne depuis vingt-sept ans déjà, je suis toujours aussi heureuse malgré tout d'en parler autant, car ça me rappelle la grande importance de vivre dans l'amour.

On sait qu'on s'accepte et qu'on s'aime véritablement quand on ne porte aucun jugement sur le choix de notre attitude intérieure et sur celui de nos comportements. Comme tu as pu le constater à travers les premiers chapitres, tu adoptes certains comportements différents selon les blessures qui sont activées. Cela s'applique aussi à ta façon de t'alimenter, surtout lorsque tu n'écoutes pas tes besoins.

T'accepter, dans ce cas, signifie que tu te donnes le droit, tu t'autorises à observer que pour le moment, tu n'agis pas en fonction de ce que tu veux être, en raison d'une de tes blessures. Par conséquent, tu n'es pas véritablement ce que tu veux être, tu es plutôt ce que tu ne veux pas être. Je te suggère de copier la phrase suivante et de la placer bien en évidence dans ta cuisine, si tu veux appliquer cette notion d'acceptation dans le domaine de l'alimentation.

Je ne peux arriver à être ce que je veux être avant d'avoir accepté d'être ce que je ne veux pas être.

J'ai écrit un livre entier sur l'acceptation[1], tellement la résistance est forte quand il s'agit d'appliquer cette notion. C'est toujours notre ego qui nous incite à résister. Savais-tu que **l'ego fait tout ce qui est en son pouvoir pour nous maintenir dans le passé afin de justifier son existence ? Il nous pousse à *futuriser* – vivre dans le futur – afin d'assurer sa survie.** En conséquence, tu sais immédiatement que si tu ne vis pas le moment présent, c'est ton ego qui te dirige et, par conséquent, tu n'écoutes plus tes besoins.

De plus, aussitôt que tu éprouves un malaise, une émotion ou une insatisfaction quelconque, c'est une indication qu'une de tes blessures vient d'être activée par une situation ou une personne, ou par une de tes pensées et que c'est encore ton ego qui prend le dessus. Tu n'es donc plus toi-même.

Regardons ensemble comment tu pourrais t'accepter selon les différentes blessures, contribuant du même coup à les guérir, ce qui signifie que c'est toi qui dirigeras ta vie. N'est-il pas merveilleux de pouvoir utiliser ta façon de t'alimenter pour guérir tes blessures en aidant non seulement ton corps physique, mais aussi tes corps émotionnel et mental ? Voici les principales étapes reconstituées dans ce dernier chapitre.

---

1. *Amour, Amour, Amour*, édité par Les Éditions ETC.

Découvrir tes blessures

En premier lieu, je te suggère de placer tes feuilles de registre journalier en face de l'aide-mémoire ajouté à la fin de ce livre (p. 211).

Après avoir complété tes données d'alimentation de la journée, observe bien les moments où tu n'as pas écouté ton corps. Ensuite prends quelques instants pour vérifier avec quelle(s) blessure(s) cette façon de t'alimenter est susceptible d'avoir un lien, en te référant au chapitre II. Si tu peux faire cette rétrospective tous les jours, il te sera plus facile de remédier rapidement à une situation. Dans le cas contraire, il est possible que tu te rendes compte que le même comportement alimentaire – lié à une situation désagréable inconsciente – se répète alors depuis plusieurs jours et que ça persiste.

Aussitôt que tu t'en rends compte, vérifie quelle attitude de contrôle tu as développée à cause de cette blessure activée, telle que décrite au premier chapitre. Grâce à ce que tu as noté dans ton registre, tu deviens conscient des moments où ce n'était plus toi qui dirigeais ta vie, du fait que tu te sentais blessé ou que tu avais peur d'être blessé ou encore peur de blesser quelqu'un d'autre.

Cette prise de conscience s'avère très importante pour t'aider à devenir vraiment conscient de ce que tu ne veux plus pour toi, et par conséquent de ce que tu veux à la place. Cependant, rappelle-toi que cet exercice n'a pas pour but de te culpabiliser, de te sanctionner parce que tu as réagi ce jour-là à une blessure. En effet, il ne te sera bénéfique que si tu es en mesure d'être reconnaissant du fait de devenir plus conscient et que tu te donnes le droit d'être encore incapable POUR LE MOMENT d'être toujours ce que tu veux être.

Supposons qu'un jour tu te rendes compte que tu as à peine mangé de la journée, que tu n'y as même pas pensé. Ensuite, vers la fin de la journée seulement, tu as commencé à manger des biscuits sans pouvoir t'arrêter, jusqu'à ignorer même combien tu en as mangé. Après avoir vérifié les comportements de contrôle dans les blessures, tu t'aperçois que ce comportement est relié aux blessures de rejet et d'injustice. Tu commences à réfléchir et tu réalises que tu ne t'es pas écouté durant une bonne partie de la journée. Peut-être est-ce parce que tu avais peur d'être en retard pour effectuer telle ou telle tâche et d'être par la suite critiqué par ton supérieur ? Ou que tu t'autoflagellais, car tu ne te sentais pas à la hauteur d'une situation ? Ou bien que tu recommençais sans cesse la même tâche, sans jamais être satisfait de ton travail, car ce n'était jamais assez bien, selon toi ?

Ce qui est important ici, c'est de prendre le temps de te demander à quel moment tu te rejetais ou que tu craignais d'être rejeté par une autre personne ou que tu t'en voulais d'avoir rejeté quelqu'un. Tout ce que nous éprouvons dans la vie, que ce soit agréable ou désagréable, se reproduit toujours sous forme de triangle.

Lorsqu'il y a deux blessures d'impliquées, comme dans l'exemple cité plus haut, tu verras qu'en travaillant sur une blessure, les liens se feront facilement pour l'autre blessure.

Tu peux maintenant établir le lien entre ta façon de t'alimenter ce jour-là et ce que tu vivais. Puisque tu te rejetais, tu ne te considérais comme pas assez important pour te nourrir, tu n'as même pas pensé à manger.

Vers la fin de la journée, tu as perdu le contrôle, car ta blessure d'injustice a été touchée. Cette dernière traduit que tu es très injuste envers toi-même. Soit que tu te contrôles – pas assez de nourriture –, soit que tu perdes le contrôle – trop de nourriture. Voilà une bonne preuve d'injustice envers toi-même.

Souviens-toi que, selon les recherches psychologiques, nous sommes conscients en général d'à peine 10 % de ce qui se passe en nous. Nous laissons notre ego nous empêcher d'être plus conscients. Il se peut que ta première réaction soit le déni, que tu affirmes ceci : *Mais non, je n'ai vécu aucun rejet aujourd'hui… ou je ne me suis accusé de rien.* Ce genre de déni est un des trucs de l'ego pour éviter que nous ne devenions conscients de nos blessures. Ainsi, il peut continuer à gérer notre vie, se convainquant qu'il connaît mieux nos besoins que nous-mêmes, ce qui l'aidera à subsister encore et encore.

Si parfois tu éprouves des difficultés à faire le lien entre la blessure et les événements vécus ce jour-là ou la veille, ne force pas ; cependant, évite de fermer la porte de ta conscience. Tu peux demander à ton dieu intérieur de t'aider à découvrir dans quelle situation ta blessure a été activée. Par la suite, oublie cette demande et passe à une autre activité. La réponse, très souvent, nous arrive spontanément, à notre insu. Surtout ne cherche pas trop loin en arrière le déclencheur émotionnel, ta réaction par rapport à l'alimentation survient généralement dans les vingt-quatre heures qui suivent.

Ainsi, quand tu as réussi à découvrir le rejet vécu ce jour-là, rassure le petit enfant en toi qui souffre. Dis-lui que tu es avec lui et que c'est tout à fait humain et normal d'avoir encore des blessures qui ne sont pas entièrement guéries. Tu peux davantage le rassurer en lui disant que tu as l'intention de les guérir un jour, mais que ça te demandera encore un certain temps.

Ensuite tu dis MERCI à ton dieu intérieur d'avoir réalisé cette prise de conscience aujourd'hui, et ce, grâce à ta façon de t'alimenter. Il ne doit JAMAIS, en aucun cas, y avoir de jugements, d'accusations ou de critiques de ta part. Je sais que c'est plus facile à dire qu'à faire. Surtout quand tu t'aperçois que tes comportements non désirés perdurent depuis déjà un bon moment ou que tu croyais avoir vraiment résolu certaines choses.

En plus, dis merci à ton corps de bien vouloir collaborer avec toi en digérant, assimilant et évacuant tout ce dont tu n'as pas eu besoin ce jour-là. Lui aussi éprouve le besoin d'être rassuré. Explique-lui ton cheminement du fait que tu es en train de te découvrir grâce à ta façon de t'alimenter et que, peu à peu, tu sauras mieux écouter ses besoins. Ton corps, en sentant que tu t'acceptes véritablement, que tu te **donnes le droit de ne pas encore être arrivé à ce que tu veux être**, aura beaucoup plus envie de collaborer avec toi.

Il en est ainsi pour tout. **Dès que nous nous acceptons dans un quelconque état d'être, un mouvement de changement se met en branle.** Moins on s'accepte et moins ça change. Plus on s'accepte et plus ça change. Ton ego ne peut comprendre cet énoncé, car il ne possède qu'une compréhension mentale, limitée et reliée au passé, alors que cet énoncé est une donnée spirituelle, reliée seulement au moment présent. Il est convaincu que, si tu t'acceptes en mangeant trop ou pas assez, ou des aliments dont tu n'as pas besoin, cette situation va perdurer, que rien ne changera. Sa croyance est reliée au fait que, si tu te donnes le droit d'être ou d'agir d'une certaine façon, ça va empirer et que tu seras encore plus malheureux. Voilà pourquoi il te fait sentir coupable, espérant que tu vas continuer à l'écouter. Il est convaincu de te protéger. L'ego ne peut comprendre que c'est SEULEMENT l'acceptation qui amorce tout changement, et non le contrôle.

Guérir tes blessures

Ce qui est expliqué ci-dessus est à pratiquer tous les soirs après avoir terminé ton registre lorsque tu t'aperçois que ta façon de t'alimenter ne concordait pas avec tes besoins. Si tu veux aller plus loin et utiliser ton alimentation pour guérir tes blessures, voici certaines étapes supplémentaires à franchir. Cependant, sache que ça requerra un peu plus de temps et surtout du courage et du lâcher-prise, pour faire face à ce qui se passe réellement à l'intérieur de toi. Cela implique que tu devras prendre véritablement tes responsabilités.

Le plus grand avantage du travail sur soi est qu'en réglant définitivement cette situation de rejet et d'injustice, en cas de situation semblable dans le futur, celle-ci n'activera plus ces deux blessures. Tu vivras l'expérience d'une façon tout à fait différente et d'une manière plus objective, avec moins de charge émotionnelle.

Les émotions et les accusations

La première étape consiste à devenir conscient de ce que tu vis.

Reprenons l'exemple cité plus haut, celui où tu as à peine mangé de la journée pour ensuite perdre le contrôle, celui où tes blessures de rejet et d'injustice ont été impliquées. Que vis-tu ? De quoi t'es-tu accusé par rapport à la situation ce jour-là ? Est-il possible que tu t'en sois voulu d'avoir été insuffisamment préparé et d'avoir attendu la dernière minute pour faire ce travail ? Tu t'es donc accusé d'être…

Si ce genre d'introspection est relativement nouveau pour toi, c'est une bonne idée de noter au fur et à mesure toutes les réponses qui surgissent en toi. Tu dois inscrire les accusations au niveau du ÊTRE seulement. Par exemple : je me suis jugé d'être incompétent, trop lent, nul, lâche (car je n'ai pas osé poser des questions à ma responsable), d'être brusque avec mes collègues de travail…

Comment t'es-tu senti au moment de la situation et comment te sens-tu en revoyant cette journée ? Note le plus d'émotions et de sentiments possible en écrivant : *Je me sens déçu… frustré… désappointé… inquiet.* Et n'oublie surtout pas la colère et la tristesse. On en retrouve toujours derrière toutes les émotions vécues.

En plus, en passant soigneusement en revue ta journée, as-tu accusé d'autres personnes ? Est-il possible que tu aies reproché à ta patronne d'être trop exigeante, que selon toi elle aurait pu te laisser plus de temps ou te fournir plus d'aide pour ce travail – éveillant ainsi ta blessure d'injustice ? N'oublie pas de noter les accusations au niveau du ÊTRE, également en rapport à l'autre personne. Exemple : *Je l'ai accusée d'être injuste, exigeante, insensible à mes problèmes, froide...*

Cette introspection permet de t'aider à prendre contact avec la colère éprouvée et la culpabilité ressentie durant la journée, suite à la kyrielle d'accusations. Permets-toi de bien sentir chacune de tes émotions. Un bon moyen est d'observer à quel endroit dans ton corps tu sens chacune de ces émotions. Ensuite, tu leur laisses la place nécessaire dont elles ont besoin pour le moment. Au lieu de résister à ces émotions ou de faire du déni, dis-toi qu'il est impossible d'accuser ou de juger quelqu'un, ou de s'accuser soi-même, sans éprouver de colère et de culpabilité. Ça fait partie de l'être humain. Ce n'est que lorsque nous sommes capables d'observer une situation en toute impartialité – donc sans jugement d'aucune sorte – que nous pouvons nous épargner toutes ces émotions.

Il est fort probable que, par la suite, tu t'aperçoives que tu t'accuses de la même chose à propos de ta façon de t'alimenter que de celle dont tu t'es accusé au cours des différentes situations de la journée. Tu t'en veux, par exemple, de ne pas écouter tes besoins, de t'oublier, de trop attendre pour te nourrir, etc. De plus, nous nous sentons coupables face à notre alimentation, au même degré que nous nous sentons coupables dans ce qui nous a poussés à nous nourrir ainsi.

La culpabilité

Le sujet de la culpabilité est réapparu souvent depuis le début de ce livre. Car même s'il semble évident que c'est la raison principale pour laquelle autant de gens ont des difficultés à lâcher prise et à écouter leurs besoins, il n'en reste pas moins que bon nombre de personnes ne sont pas conscientes du degré de culpabilité qu'elles éprouvent.

Malgré le fait que je parle de culpabilité et de responsabilité dans tous les ateliers, toutes les conférences et dans tous mes livres, j'éprouve encore le besoin de rappeler cette notion qui est tellement importante, voire essentielle pour une transformation définitive à tous les niveaux, mais surtout au plan de l'être.

Combien de fois ai-je entendu toutes les raisons que les gens évoquent, n'étant pas conscients du fait qu'ils nient leur sentiment de culpabilité ! *Je ne me sens pas coupable, je suis juste attentif à ne pas grossir… Je suis grosse comme les autres femmes de ma famille, je n'ai pas le choix… Je veux seulement ne pas déplaire à ma femme qui se donne autant de mal à me préparer de bons petits plats… Je me fais plaisir c'est tout, je ne me sens pas coupable…* S'ils ressentent la nécessité de se justifier ainsi, la culpabilité en est la cause.

Un jour, au cours d'une croisière, mon mari et moi devions partager tous les repas du soir en compagnie des mêmes personnes autour d'une table de huit. Parmi le groupe se trouvait une dame très mince, je dirais même maigre, accompagnée de son conjoint VRAIMENT obèse. Elle faisait sans arrêt des remarques désobligeantes sur les gros qui déambulaient près de notre table. De son côté, son compagnon faisait semblant de ne rien entendre. Il était donc facile de se rendre compte qu'elle n'acceptait pas les gros, y compris elle-même si par mégarde elle prenait un kilo.

Elle les traitait de lâches, de sans volonté et que, s'ils le voulaient vraiment, ils ne seraient pas si gros.

Elle affirmait qu'ELLE ne mangeait jamais de dessert, mais j'ai remarqué qu'elle piochait très souvent dans l'assiette de son conjoint, et qu'elle buvait beaucoup de vin – lequel contient du sucre. Je suis certaine qu'elle ne se rendait même pas compte du nombre de fois qu'elle mangeait dans l'assiette de son mari. Un soir, elle raconta qu'elle avait décidé de s'abstenir de pain et de réduire sa consommation de vin pour au moins un mois. Je lui ai demandé si elle se sentait coupable de manger ou de boire ce qu'elle s'interdisait.

Quelle réaction ! C'était clair qu'elle était choquée par ma question. D'un ton sec, elle me déclara qu'à son âge, il y avait belle lurette qu'elle ne ressentait plus aucune culpabilité. J'ai vérifié avec les autres membres du groupe si parfois ceux-ci se sentaient coupables car je les entendais souvent répéter qu'ils avaient triché au cours de la journée, qu'ils devaient se retenir à l'avenir, qu'ils n'avaient pas assez de volonté, etc. Personne n'a admis éprouver de la culpabilité. C'est comme si ce sujet était devenu tout à coup tabou, que ça ne les concernait pas. Je me suis empressée de changer de sujet quand j'ai remarqué que ces gens refusaient de sentir ce qui les habitait. Je n'ai toutefois pas pu m'empêcher d'observer et de prêter l'oreille tout au long de la croisière et tu ne peux imaginer le nombre de fois où leurs actions et paroles dénotaient de la culpabilité. C'est à partir de ce moment que j'ai davantage remarqué cette problématique autour de moi, et ce, dans différents pays. D'où ma décision de parler de culpabilité plus souvent.

En l'occurrence, ne te décourage pas si tu te rends compte, en étant plus attentif à tout ce que tu ingères, que ton sentiment de culpabilité est peut-être encore plus important que tu ne veux bien le croire. Si tu cherches la cause d'autant de culpabilité en ce monde, voici les deux raisons principales que j'ai observées :

- On croit que, si on se sent coupable, on ne recommencera pas. On entretient également cette croyance pour les autres. Voilà la raison pour laquelle nous sommes portés à les culpabiliser.

- On se considère comme quelqu'un de bien parce qu'on croit que, si on n'éprouve pas de culpabilité, on est mauvais ou indifférent. On croit aussi la même chose pour les autres.

Maintenant, comprends-tu pourquoi autant de gens affirment sans cesse qu'ils vont arrêter de faire ou de manger ceci ou cela ? Par exemple, *je vais me mettre au régime dès lundi prochain afin de pouvoir « tricher » tout le week-end*. Ils se font croire et tentent de faire croire aux autres qu'ils ne sont pas indifférents à leur poids ou à leurs excès de nourriture parce qu'ils ont décidé de ne pas recommencer. Dans le cas d'une culpabilité, prendre une décision, bien que sincère, ne suffit malheureusement pas.

As-tu déjà prononcé ces paroles à un moment donné dans ta vie ? Si oui, as-tu obtenu les résultats escomptés ? Pas vraiment, n'est-ce pas ? Bien sûr, tu as peut-être pu te contrôler un certain temps, pour finalement perdre le contrôle dans ce domaine ou un autre. Personne au monde ne peut arriver à se contrôler indéfiniment. Nous avons tous des limites à ce niveau. Par contre, plus une personne se contrôle longtemps et plus la perte de contrôle se révèle importante et même regrettable parfois.

En te référant aux deux premiers chapitres de ce livre, tu as vu toutes les façons que nous utilisons pour nous contrôler. En devenant conscient de ce qui se passe dans ta vie, grâce au registre de nourriture que tu rempliras, tu verras que la plupart des cas mentionnés dans ces deux premiers chapitres ont engendré de la culpabilité. Aussitôt que nous allons à l'encontre des critères que nous avons appris, de ce qui s'avère être bien, supposé, acceptable, gentil, poli, prévenant, aimant... la culpabilité s'installe automatiquement.

Dans l'exemple de la dame durant la croisière, cette dernière était inconsciente de ce qu'elle éprouvait. Elle m'a avoué qu'elle croyait qu'une personne n'était coupable que lorsque celle-ci faisait quelque chose de répréhensible, de vraiment mal, comme voler, tuer, etc. Elle ne sait pas que toutes les petites et moyennes culpabilités vécues au quotidien se révèlent beaucoup plus dommageables qu'une grosse culpabilité vécue occasionnellement au cours d'une vie. Pourquoi ? Parce que, dans le cas d'une grande culpabilité, alors que quelqu'un est reconnu coupable, il est beaucoup plus facile pour lui d'en devenir conscient, d'y faire face, pour finalement la gérer, ce qui n'est pas le cas dans l'exemple de cette dame.

Cependant, en devenant plus conscient, ne sois pas surpris ou inquiet de ressentir régulièrement de la culpabilité. Au lieu de t'en vouloir, il sera plutôt important d'être heureux de la ressentir. Car aussi longtemps que nous refusons de découvrir et de sentir ce que nous éprouvons, la même situation se répète sans cesse. Aussitôt que tu deviens conscient de te sentir coupable, l'étape suivante consiste à vérifier quelles sont les peurs qui t'assaillent dans cette situation. C'est celle qui te permet de ressentir ta souffrance, t'autorisant à témoigner davantage de compassion envers toi-même.

Les peurs pour soi

De quoi ai-je eu peur pour moi aujourd'hui dans cette situation ? De quoi ai-je peur pendant que je passe ma journée en revue ? Voilà des exemples de questions à te poser. Revenons à l'exemple de rejet et d'injustice utilisé plus tôt. La réponse à ces questions pourrait être : *J'ai eu peur de ne pas être à la hauteur... peur d'être congédié... peur de faire rire de moi... du ridicule... pour le moment j'ai peur de ne jamais arriver à avoir plus d'estime de moi... j'ai peur que les autres remarquent à quel point je ne me fais pas confiance, que je suis faible et sans ressources... qu'ils découvrent que je ne suis pas ce qu'ils croient à mon sujet...*

L'important ici est de faire sortir, de noter toutes les peurs qui surgissent. Si ce genre d'exercice est nouveau pour toi, il est possible, au début, que très peu de peurs se présentent. Il se peut même que tu croies n'en avoir aucune. Si c'est le cas, je te suggère de te donner le temps nécessaire pour mettre en pratique toutes ces nouvelles théories. Graduellement, il te sera moins pénible de faire face à ce que tu éprouves véritablement. Tout devient plus simple et plus rapide avec de la pratique, n'est-ce pas ? Tu verras que ce sera d'autant plus facile quand tu pourras te donner le droit d'être humain en présence de peurs. **Tout le monde a**

des peurs, sans exception. Notre raison d'être sur cette terre n'est pas de ne plus avoir de peurs ou de les ignorer, mais bien d'être capables de nous accorder le droit d'en avoir, sans se juger ou se critiquer d'être faibles… dépendants… vulnérables…

Maintenant que tu as traversé les étapes consistant à devenir conscient des blessures activées ce jour-là, grâce à la prise de conscience de ton alimentation et de ce que tu as vécu – émotions, accusations et peurs –, par la suite il te reste à franchir la dernière étape, où tu dois t'accepter, t'aimer dans ce que tu es POUR LE MOMENT.

Pour ce faire, tu dois commencer par prendre tes responsabilités, le seul moyen que je connaisse d'enrayer ce cercle vicieux de culpabilité.

La responsabilité

Qu'est-ce que la vraie responsabilité ? Cette notion comporte deux volets qui ne peuvent être dissociés :

▶ C'est savoir que nous sommes toujours en train d'organiser notre vie grâce à nos choix, nos décisions, incluant nos réactions.

▶ C'est aussi savoir et reconnaître que les autres organisent leur vie en fonction de leurs choix, leurs décisions, incluant leurs réactions.

Le moyen par excellence pour reconnaître si tu es vraiment responsable consiste à observer ta capacité à assumer toutes les conséquences de tes décisions, tes actions et tes réactions, sans blâmer les autres, ainsi qu'à être capable de laisser les

autres assumer les conséquences de leurs choix et leurs actes, sans te blâmer.

Voici donc comment transformer la culpabilité en responsabilité, grâce à ta façon de te nourrir. Je reviens au même exemple : tu deviens conscient de te sentir coupable de t'être négligé en oubliant de t'alimenter et ensuite d'avoir mangé trop de biscuits ; bref de passer d'un extrême à l'autre. Comme la plupart des gens, tu te répètes que tu devras absolument te prendre en main un jour. Or, tu sais pertinemment bien que tu t'es répété maintes fois la même chose.

Devenir responsable signifie que tu reconnais tes actions et réactions et que tu te rappelles que tu as le droit d'agir ou de faire tout ce que tu veux dans la vie, en reconnaissant qu'il y a toujours des conséquences à assumer. Donc, je t'invite à prendre quelques instants pour noter quelles sont les conséquences positives et négatives qu'il y a à te priver et ensuite à te goinfrer.

Oui, je dis bien positives. Il se peut que tu aies jugé plus important de remplir tes tâches que de manger. Il se peut aussi que tes biscuits sucrés t'aient aidé à te détendre sur le moment, qu'ils t'aient apporté une douceur que tu ne pouvais te procurer autrement à ce moment-là, étant trop exigeant envers toi-même. Après avoir noté toutes les conséquences, il t'incombe de décider si cette façon d'agir t'apporte plus de bonheur et de satisfactions que d'ennuis ou de problèmes. Et de reconnaître que c'est toi seul qui assumes les conséquences et que personne d'autre n'est dans ta vie pour te dire quoi faire, quoi manger et quoi boire.

Je crains que tu n'aies la même réaction que bien d'autres personnes. Qu'en lisant ces lignes, tu te dises aussitôt : *Mais je ne peux pas me permettre d'agir ainsi et surtout de manger tous ces biscuits ; je risque de conserver cette mauvaise habitude et surtout de manger toujours plus de biscuits, qui sont ma faiblesse...* Cette réaction est absolument normale et humaine. L'ego ne peut comprendre la notion d'acceptation et de responsabilité. Tout ce qu'il sait provient de ce qu'il a appris : si on se donne le droit de faire quelque chose, on continuera toujours dans le même processus et ça risque d'empirer si on ne décide pas d'enrayer cette mauvaise habitude.

Tu dois donc parler à la partie en toi – l'ego – qui croit en cette fausse notion. Explique-lui que, jusqu'à maintenant, en suivant ce qu'il croit, rien n'a changé de toute façon et que, de ton côté, tu es prêt à essayer quelque chose de nouveau. Surtout, rassure-le en lui disant qu'il n'aura pas à assumer les conséquences de ta décision. C'est toi seul qui le feras. Ton ego, à travers les petites voix mentales que tu entends sans cesse dans ta tête, veut t'aider car il est convaincu qu'il agit pour ton bien.

Grâce à ton alimentation, tu détiens un moyen formidable pour apprendre à dialoguer avec ton ego, ce qui est une excellente façon de redevenir le seul maître de ta vie. Lorsque tu prends une décision et que tu acceptes d'avance d'assumer toutes les conséquences s'y rattachant, **même si cette décision ne répond pas à un besoin de ton être**, sais-tu que TU ES LE MAÎTRE DE TA VIE à ce moment précis ? Pourquoi ? J'insiste à nouveau sur le fait que tu n'as de comptes à rendre à personne. D'ailleurs, c'est en vivant toutes sortes d'expériences et en acceptant ces dernières, que nous développons notre discernement et devenons plus conscients de nos besoins véritables.

Supposons que tu décides de continuer à agir de la même façon et à manger beaucoup de biscuits, mais cette fois-ci en étant plus attentif aux conséquences. Lorsque celles-ci deviendront trop lourdes à assumer, sois assuré que tu pourras facilement décider d'en réduire le nombre, jusqu'à ne plus en avoir besoin du tout. Pendant que tu en manges, tu sais que tu veux parvenir un jour à être plus doux envers toi-même d'une façon différente, mais que pour le moment, tu es incapable d'agir autrement.

Tu ne pourras reconnaître le bien-fondé de cette théorie que lorsque tu l'auras vraiment expérimentée. **Un vrai savoir provient seulement de l'expérience et non simplement de la connaissance.**

Toujours en rapport avec l'exemple mentionné plus haut, voici un excellent moyen de découvrir si tu ne te sens plus coupable et si tu prends vraiment tes responsabilités. Observe si tu es capable d'exagérer avec les biscuits – ou autre chose – en présence d'autres personnes, et ce, sans te justifier. Vérifie si les autres peuvent t'observer en train de le faire, mais sans te culpabiliser. Si ce n'est pas le cas, si tu sens un malaise quelconque, voilà le signe que tu te sens encore coupable. Surtout, ne désespère pas. Prendre ses responsabilités est un apprentissage de très longue durée. La grande majorité des gens n'en ont jamais appris le vrai sens tout au long de leurs enfance et adolescence, et encore moins à la mettre en application. Tu auras à te rappeler fréquemment qu'en réalité, personne n'est coupable de rien. Nous sommes tous en train d'expérimenter plein de choses afin de découvrir ce qui est mieux, plus intelligent pour soi.

S'aimer c'est se donner le droit de procéder à cet apprentissage, qu'on y arrive ou non. Rappelle-toi le jour où tu as voulu conduire une bicyclette. Ne trouvais-tu pas normal de tomber et d'avoir à recommencer plusieurs fois avant de trouver ton équilibre ? Te considérais-tu comme quelqu'un de mauvais ou de moins intelligent parce que tu n'y arrivais pas du premier coup ? Il en est ainsi pour tout ce que nous voulons apprendre de nouveau. Cependant, quand il s'agit de croyances rattachées à nos blessures, ça exige plus de temps, de patience et de persévérance pour y parvenir, du fait que nous traînons ces blessures depuis plusieurs vies. Ce qui est important, c'est d'être conscient de nos bonnes résolutions et surtout de constater au fil du temps une amélioration constante.

Lorsque tu constates que tu te sens encore coupable, au lieu de t'en vouloir, prends le temps de vérifier ton degré présent de culpabilité, comparé à celui vécu, avant de te prendre en main. Par exemple, si actuellement ce degré de culpabilité est de cinq sur dix et qu'auparavant, celui-ci était de neuf sur dix, tu reconnais ainsi tes progrès. Ce bref exercice aide beaucoup à éviter de se décourager et aussi à garder le cap sur ce que l'on veut. Si, par contre, tu trouves que tu te sens davantage coupable, c'est faux. Tu es simplement plus conscient et seule la conscientisation peut t'amener à l'acceptation, donc la guérison.

En devenant une personne responsable dans le domaine de la nourriture, tu amorces déjà le même processus dans les autres domaines où tu te sens coupable. Dans l'exemple précité, tu te rendras compte de façon graduelle que tu es trop exigeant vis-à-vis de toi-même à ton travail, que tu t'accuses de choses dont tu n'es aucunement coupable et que tes peurs et accusations ne t'apportent pas les résultats bénéfiques auxquels tu aspires dans la vie. Tu te rendras compte également que même s'il arrive que tu ne sois pas à la hauteur des attentes de ton supérieur, par exemple, tu sauras comment y faire face au moment propice et tu seras capable d'en assumer les conséquences.

Faire la paix avec ses parents

En plus de l'acceptation des comportements influencés par tes blessures en assumant tes responsabilités, si tu désires aller plus loin dans cette acceptation, ta vie peut se transformer encore plus rapidement. Par contre, cette étape implique que tu consacres plus de temps seul avec toi-même pour faire un travail d'introspection et, par la suite, entamer une démarche de rencontre avec certaines personnes dans le but de compléter ce travail spirituel.

Récapitulons en revenant au même exemple. Jusqu'à maintenant, tu es devenu conscient :

a) que tu n'as pas écouté les besoins de ton corps dans ta façon de t'alimenter ;

b) du lien entre ton alimentation et les blessures de rejet et d'injustice activées ce jour-là ;

c) des émotions et sentiments vécus au cours de cette journée et surtout de la culpabilité ;

d) des accusations de toi-même et vis-à-vis de ton supérieur ;

e) des peurs qui t'habitent ;

f) que tu dois devenir une personne responsable plutôt que de nourrir des sentiments de culpabilité.

L'étape suivante consiste à faire le lien avec tes parents ou les personnes qui ont eu une grande influence sur ton éducation.

Lorsque tu critiques une autre personne, tu peux également faire le lien avec ton parent du même sexe que cette personne. Cependant, si la critique est dirigée envers quelqu'un dans le domaine professionnel – comme dans l'exemple précité –, tu peux faire le lien avec toute personne de ce sexe qui t'instruisait durant l'enfance ou l'adolescence.

Lorsque tu te critiques toi-même, sache que cette attitude (comportant le même attribut) se reporte également sur le parent du même sexe que toi. Vérifie dans quelles circonstances tu as critiqué ce parent d'être… (ce que tu as découvert plus tôt). Tu dois être conscient, de plus, que ce parent s'est critiqué de la même façon. En effet, il a vécu les mêmes émotions que toi – associées à la même blessure – et au même degré de douleur avec son propre parent ainsi qu'avec toi. Cette étape devrait t'aider à ouvrir ton cœur et à développer de la compassion envers ce parent et envers toi-même.

Faisant référence au triangle dont j'ai parlé auparavant (p. 168), cela t'indique que si tu accusais une autre personne, cette dernière t'accusait de la même chose et que tu agissais de façon similaire avec toi-même. Quand c'est toi que tu juges ou accuses, tu peux également utiliser ce triangle. En l'occurrence, quelqu'un d'autre t'accuse de la même chose et, de ton côté, tu répètes ce comportement.

Prends alors quelques instants pour sentir la souffrance que l'ensemble de ces émotions associées à tes blessures t'ont fait vivre, tel qu'expliqué plus tôt dans ce chapitre.

Maintenant que tu apprends et reconnais que ton parent vivait le même degré de souffrance que toi, t'est-il plus facile d'avoir de la compassion et de lui permettre de s'être comporté ainsi avec toi, sachant qu'il ne pouvait faire autrement à cette époque en raison de ses propres blessures ? Donne-toi tout le temps qui t'est nécessaire pour arriver à cette ouverture du cœur.

Une fois ce travail de compassion achevé, il ne te reste plus qu'à le partager avec ce parent. Voilà l'étape où tu es en mesure de découvrir ton degré d'acceptation face à ce parent et face à toi-même. Si cette dernière démarche, qui s'appelle l'étape de la réconciliation et du pardon véritable, est difficile pour toi, c'est parce que la douleur associée à cette situation est intense. C'est signe que la démarche de l'acceptation n'est pas encore terminée, que ton ego possède encore de l'emprise sur toi en voulant te convaincre que ce parent (ou toi-même) est fautif. En continuant à te placer dans la peau de ce parent, tu remarqueras que, peu à peu, ton cœur s'ouvrira et tu arriveras enfin à dire à ton parent ce que tu as découvert.

Dans le domaine de l'alimentation, il est possible également de faire la paix avec tes parents, en notant si tu les as jugés de quoi que ce soit dans leur façon de s'alimenter, ou d'alimenter tes trois corps – physique, émotionnel et mental – lorsque tu étais jeune.

Il n'y a rien au monde qui puisse t'aider davantage à te diriger vers ce que tu veux être que cette démarche d'acceptation de soi et des autres. Elle est surtout recommandée par rapport aux comportements et aux états d'être que tu expérimentes pour le moment et qui te sont devenus trop nuisibles. Tu sais maintenant que rien ne change si tu demeures dans le contrôle. Seule l'acceptation véritable peut obtenir un effet aussi remarquable et durable.

Tu sauras que tes blessures sont en voie de guérison quand tu te donneras le droit de parfois rejeter, abandonner, humilier, trahir et être injuste avec les autres, surtout tes proches. Le degré de tes blessures évolue au même rythme que ton manque d'acceptation d'être ce que tu es pour le moment, avec tes faiblesses, tes limites, tes incapacités... tout autant que les aspects positifs de ton être.

Être ce que tu veux être

Un moyen souvent suggéré pour devenir conscient de ce que tu veux consiste à te poser la question suivante : *Le fait d'être...* (complète par ce que tu t'es jugé d'être dans cette situation) *m'empêche d'être quoi ?* La réponse à cette question t'indique ce que tu veux pour toi dans ce genre de situation. Par exemple, *le fait d'être incompétent m'empêche d'être confiant, de prendre des initiatives et d'avoir plus d'estime de moi...* Donc ton désir profond est d'être confiant et de prendre des initiatives afin d'avoir plus d'estime de toi.

Prends le temps de revivre ta journée en pensée en l'expérimentant de la façon dont tu voudrais la vivre désormais, si jamais elle se représentait à nouveau. Visualise cette journée en imaginant la personne que tu veux être un jour. Laisse venir les images qui surgissent.

Voilà un exercice formidable pour mettre en mouvement ce que tu veux voir arriver. Par contre, ne sois pas déçu si ton souhait ne se concrétise pas sur-le-champ. Il se peut effectivement que cela se produise de façon immédiate, mais également que tout se fasse petit à petit. Seul l'avenir le dira.

Je sais qu'avec ce genre de travail d'introspection et d'acceptation, si jamais la même situation ou une autre similaire se reproduisait, tu ne la vivrais plus de la même façon, et surtout avec moins de douleur émotive et mentale. En plus, tu seras agréablement surpris de t'observer en train d'agir dans le sens de ce que tu veux devenir. Le fait de demeurer en contact avec ce que tu veux ÊTRE est suffisant ; si tu demeures attentif, les pensées, les idées et les actions vont se présenter d'elles-mêmes.

Répète-toi souvent ton désir, ce que tu veux et surtout ce que tu veux être. Note-le partout. La répétition produit de nouvelles connexions dans notre cerveau. Les grandes compagnies ont constaté ce fait depuis fort longtemps et s'en servent à grande échelle, grâce à leurs annonces publicitaires à répétition. Tant qu'à te parler sans cesse, ce qui est une forme d'autosuggestion, autant te répéter des choses que tu aimes entendre et qui vont t'aider.

Quand tu n'arrives pas immédiatement à ce que tu veux être ou que tu n'agis pas en fonction de ce que tu veux, souviens-toi de te répéter ceci : *Il serait préférable ou souhaitable que je sois... et j'y arriverai, mais pour le moment ce n'est pas le cas. Je dois me donner du temps.*

Accepter ton poids

Il a été question d'acceptation depuis le début de ce chapitre mais si, au moment où tu lis ces lignes, tu fais partie de ceux qui ne s'aiment pas du tout avec leur poids actuel – trop maigre ou trop gros – les mêmes exercices de conscientisation et d'acceptation s'avèrent nécessaires.

Quelle blessure est activée par ce problème de poids ? Une fois la blessure découverte, tu procèdes aux mêmes étapes mentionnées précédemment dans la section « Faire la paix avec les parents », en commençant par les accusations envers toi et/ou les autres, ainsi que les étapes suivantes.

D'autre part, certains affirment qu'ils ne peuvent pas en avoir voulu à leurs parents, car ni l'un ni l'autre n'avait un problème de poids. Si c'est ton cas, tu ne dois pas t'arrêter à l'apparence du corps. La réponse réside dans le ressenti. C'est cela qui importe, qui touche ton être. Donc, le fait d'avoir de l'embonpoint, par exemple, te fait vivre quoi, te fait sentir comment ? Note toutes les émotions qui remontent. Ensuite, tu te juges ou t'accuses d'être quoi ? Supposons que tu te juges d'être mou, sans volonté, d'être trop compulsif, d'être hypocrite et menteur – car tu te caches pour manger. Vérifie à quel moment tu accusais tes parents d'être ainsi. Ça peut très bien être dans un autre domaine que l'alimentation.

En réalité, je suis en train de te dire de porter ton attention, non pas sur ton apparence physique, mais sur ce qui se cache au-delà de cette apparence, c'est-à-dire dans les domaines émotionnel et mental. Je t'assure que, au fur et à mesure que tu initieras des transformations intérieures, cela aura des répercussions sur ton corps physique.

Comment savoir à quoi tu dois être plus attentif ? Supposons que tu aies découvert que, lorsque tu te regardes, tu te trouves laid, répugnant, lourd, lent. Tu te poses alors la question précitée, que je répète : *Le fait d'être...* (Répète ce que tu viens de découvrir) *m'empêche d'être, de faire et d'avoir quoi ?* Si la réponse est que cela t'empêche de te sentir bien... souple... confiant... libre... gracieux... tu découvres alors ce que tu veux vraiment être. Dresse alors une liste de comportements que tu pourrais adopter dans ta vie qui t'aideraient à le devenir. Ainsi, au lieu de mettre toute l'emphase sur ton poids, tu détournes ton attention sur ce que tu veux désormais être.

Place cette liste bien en vue et, chaque jour, pose un geste ou fais une action qui t'aide à être ce que tu veux être. Par exemple, si tu veux éprouver du bien-être, tu pourrais t'assurer de porter un vêtement confortable ce jour-là. Ou ça peut être de t'assurer d'avoir une chaise bien rembourrée si tu dois demeurer assis plusieurs heures. À par les actions, tu peux être plus à l'aise dans tes paroles, tes pensées ou tes décisions, en étant vrai. Par exemple, lorsque tu t'apprêtes à décider quelque chose, en prenant quelques instants pour te demander si cette décision te convient réellement, tu viens d'aider ton âme à progresser, à être plus heureuse et à se diriger vers ce qu'elle veut être.

J'ai remarqué que beaucoup de personnes avec une surcharge pondérale ont souvent pris la mauvaise habitude de prendre en charge – en général affective – leurs proches. Elles en prennent souvent beaucoup trop sur leurs épaules. En effet, elles se chargent des besoins des autres en négligeant leurs propres besoins. Si c'est ton cas, tu peux demander à tes proches (qui ne sont pas dépendants de toi) s'ils pourraient avoir l'amabilité de te laisser savoir à quel moment tu agis ainsi. Ceux avec qui tu as l'impression de te faire avoir souvent, ceux que tu juges exigeants avec toi, agissent ainsi seulement parce que tu les laisses faire. Ils se sont vite rendu compte que tu endosses leurs problèmes et en profitent. Voilà un autre moyen pour devenir conscient d'une des raisons de ta surcharge pondérale. Tu peux aussi créer un panneau à placer en divers endroits de la maison afin de te remémorer de prendre tes responsabilités et de laisser les autres prendre les leurs. Voilà deux actions qui peuvent définitivement t'aider à prendre une direction différente à l'avenir.

Accepter le poids des autres

Accepter un surplus de poids chez une personne chère semble aussi difficile que de l'accepter pour soi, parfois même plus difficile. Surprenant n'est-ce pas ? Ce peut être le cas dans une situation où tu as contrôlé ou toujours fait attention à ton poids et que tu te retrouves avec un enfant ou un partenaire qui tend vers l'obésité.

Combien de mamans m'ont approchée à ce sujet, l'air désemparées – les papas le sont aussi parfois, mais le montrent moins. Ces mamans ne pouvaient tout simplement pas accepter de voir leur belle jeune fille grossir d'année en année. La plupart d'entre elles ont réagi de la même façon, en adoptant une ligne de conduite autoritaire pour inciter leur fille à faire attention à leur poids, bref, à se contrôler.

Elles ignorent que c'est le pire moyen qu'une maman puisse adopter. Imaginons une petite fille de onze ou douze ans bien rondelette, à qui sa maman dit des choses telles que : *Tu es très jolie, mon poussin, mais tu sais, si tu continues à grossir, les garçons ne voudront pas de toi plus tard… Je t'ai acheté un petit livret pour que tu puisses compter tes calories… Arrête de grigno-ter, tu n'as pas honte ? Tu viens de sortir de table !… Si j'avais fait comme toi quand j'ai commencé à être ronde durant mon adolescence, tu imagines comment je serais aujourd'hui ? Grosse comme une baleine ou comme grand-maman… Tu sais, ma chérie, je sais que ce ne sont pas mes affaires, mais tu ne crois pas que tu devrais te mettre au régime ?...*

Tout ce qu'entend cette jeune fille c'est que sa maman ne l'aime pas telle qu'elle est et que ce n'est que lorsqu'elle sera plus mince qu'elle pourra se sentir aimée ou acceptée de sa mère. Et lorsque celle-ci féli-cite sa fille les fois où elle s'est bien contrôlée, ce que cette dernière apprend et retient dans son système de croyances, c'est que dans la vie il faut se contrôler pour être aimé. Sa maman ne réalise pas qu'elle est en train d'inciter sa fille à développer davantage les masques associés à ses blessures. On sait qu'aussitôt que nous nous contrôlons, nous ne sommes pas nous-mêmes, nous avons mis le masque associé à la blessure éveillée. Les masques font plus de tort que le poids excédentaire.

Si tu éprouves ce genre de problème avec un de tes enfants ou ton partenaire ou un parent, par exemple, tu dois certainement te demander *Mais quoi faire alors avec quelqu'un qui manque de volonté ? Si personne ne lui en parle, le problème va empirer et un jour il sera trop tard pour y remédier. Je veux seulement l'aider, mon intention n'est pas de blesser une personne que j'aime.*

Il est vrai que toutes les mamans qui m'ont approchée par rapport à cette problématique étaient pleines de bonnes intentions. Je dois te rappeler que **le pouvoir de l'intention ne peut être utilisé que pour soi.** Or, même si on a les meilleures intentions du monde, on ne peut forcer une autre personne. On n'a pas ce pouvoir. D'ailleurs, on ne devrait pas se prévaloir de ce droit car c'est un manque de respect. Un très bon exemple pour illustrer ce concept est celui de l'âne que son maître veut absolument faire boire. Il a beau le tirer, le pousser ou essayer de le forcer à ouvrir la bouche pour qu'il s'abreuve, si l'âne ne veut pas, il n'y a rien à faire. Les bonnes intentions du maître n'ont, pour ainsi dire, aucun effet sur le résultat escompté.

Accepter l'autre personne dans ce qu'elle est signifie la laisser libre de prendre ses propres décisions et en assumer les conséquences. Revenons à l'exemple de la maman avec sa jeune fille. Elle aurait intérêt à s'asseoir avec elle et à lui dire qu'elle a remarqué qu'elle devenait de plus en plus ronde, qu'il était possible que, plus tard, ce processus s'arrête de lui-même ou que ça empire, cependant personne ne sait ce que l'avenir lui réserve.

Ensuite, elle pourrait lui demander comment elle se sent avec le fait d'être plus grosse que plusieurs de ses camarades. Est-ce que ça perturbe ses relations à l'école ? Avec ses amis ? Sur le plan physique, est-elle moins performante dans les sports ?... L'important est de la faire parler et surtout de ce qu'elle ressent. Par la suite, elle peut lui demander si elle est d'accord pour dresser une liste – seule ou avec elle – de toutes les conséquences possibles pour elle, si toutefois elle devenait plus grosse.

Une fois le bilan terminé, la maman vérifie avec sa fille si elle se sent ou non capable d'assumer ces conséquences, en lui disant que personne ne peut le faire à sa place. Si tu décides de faire une telle démarche avec une autre personne, le meilleur moyen pour savoir si tu es dans ton cœur au moment où tu veux l'aider est d'observer sa réaction.

Si la jeune fille réplique en disant qu'elle se fiche des conséquences, qu'elle n'est pas si grosse que ça et que, après tout, c'est son corps et que ça ne regarde qu'elle, cela signifie qu'elle sent que sa maman a des attentes et veut absolument obtenir des résultats suite à ses suggestions. Les jeunes d'aujourd'hui ont une force psychologique beaucoup plus prononcée que ceux de la génération précédente. Ils refusent de se faire contrôler par leurs parents ou éducateurs. Ils sentent très vite si leurs parents cherchent à les contrôler ou bien s'ils veulent simplement les aider, avec leur cœur, en n'étant pas attachés aux résultats.

Pourquoi ? Parce que leur besoin de respect est très fort. Ils savent dès la naissance qu'aussitôt que quelqu'un essaie de contrôler ou de changer une autre personne, c'est un grand manque de respect. Tous ceux qui sont nés avec l'énergie de l'ère du Verseau sont beaucoup plus conscients de ce grand besoin de respect. Cette énergie a commencé à se faire sentir sur Terre depuis les années 1960, et depuis, elle devient de plus en plus forte et puissante chaque année.

Voilà pourquoi ils ont besoin d'être placés face aux conséquences de leurs choix, et ils savent intuitivement que cette notion de responsabilité est juste.

Je te rappelle que nous savons si nous avons bien intégré la notion de responsabilité lorsque nous sommes capables de laisser les autres assumer les conséquences de leurs choix, décisions et réactions.

Quand un enfant sent que son parent est tout simplement en train de le guider afin qu'il devienne une personne responsable et que, quelle que soit sa décision, son parent saura s'adapter, même s'il n'est pas d'accord, l'enfant écoute alors bien plus volontiers les conseils.

Par conséquent, tu peux te rendre compte immédiatement que tu ne te sens pas responsable des décisions de l'autre en voyant sa réaction. Mais si tu décides d'endosser les responsabilités de l'autre, que tu transmets des conseils pour éviter de te sentir coupable, cela aura pour conséquence que l'autre personne se sentira culpabilisée par tes conseils. En effet, celle-ci sent tout de suite que tu as des attentes. Tu veux qu'elle t'écoute, qu'elle change pour que tu ne te sentes pas coupable. Tu agis ainsi par peur pour toi et non dans le but d'aider l'autre à répondre à ses besoins.

Aussitôt que tu as des attentes à la suite d'un conseil donné à quelqu'un, cela indique une condition, une « non-acceptation » de ta part. Comment te sens-tu lorsqu'une personne te fait des suggestions et que tu te rends tout de suite compte qu'elle a des attentes ? Même si elle t'affirme que tu peux en faire ce que tu veux, tu sais que cette personne sera déçue, si tu n'en tiens pas compte ? Si tu es comme la plupart des gens, tu ne dois sûrement avoir aucune envie d'écouter ses conseils.

Il est malheureux de constater que nous sommes si nombreux à avoir des attentes, c'est-à-dire à vouloir contrôler le résultat pour l'autre personne. Car très souvent, les conseils que nous donnons aux autres sont de prime abord très valables, mais rarement écoutés. En général, ces conseils devraient être suivis davantage par les personnes qui les donnent, quand on ne leur a rien demandé initialement. C'est sûrement dû au fait que nous sommes incapables de nous contrôler nous-mêmes à la perfection. Nous tentons alors d'y parvenir avec les autres.

Dans le cas où tu veux aider une personne souffrant d'embonpoint, si tu n'es pas sûr d'avoir lâché prise et d'être capable de te sentir bien, quelle que soit la décision de cette personne, le mieux est de lui demander si elle sent que tu as vraiment lâché prise et qu'elle est tout à fait libre de prendre la décision qu'elle souhaite. Comment peux-tu connaître les besoins de l'âme de cette personne et ce qu'elle a besoin d'apprendre dans cette vie ? Peut-être celle-ci a-t-elle à vivre cette vie en tant qu'obèse pour travailler sur ses blessures ? Voilà pourquoi personne au monde n'a le droit de décider pour quelqu'un d'autre.

En tant que maman avec un enfant qui a tendance à grossir, tu peux faire ta part en achetant des aliments santé qui sont plus nutritifs et qui apportent beaucoup d'énergie. Ton enfant n'aura pas besoin de manger une aussi grande quantité. Je me souviens du temps où mes enfants étaient adolescents, au début de mes recherches sur l'alimentation et le lien entre le corps physique et psychique, j'ai réalisé que j'achetais beaucoup d'aliments et de boissons qui n'apportaient aucune énergie. Au contraire ! Cela exigeait une grande quantité d'énergie pour digérer, assimiler et éliminer tous ces aliments inutiles pour le corps. Par exemple, quand mes enfants avaient soif, ils buvaient toujours des jus sucrés. J'ai donc acheté un appareil qui nous assurait une meilleure qualité d'eau. S'ils refusaient de boire l'eau du robinet c'était parce qu'elle était simplement imbuvable, ayant trop le goût de produits chimiques. Je l'ai clairement compris quand ils ont dit : *Enfin de l'eau qui est bonne !*

Le fait de vérifier ta capacité à respecter les besoins des autres est un facteur important pour devenir conscient de ta capacité à respecter tes propres besoins.

Écouter les besoins de tes trois corps

Tes trois corps – physique, émotionnel et mental – ont des besoins très spécifiques. Si tu ne les alimentes pas de façon adéquate, il te sera impossible d'être bien dans ta peau. Je profite de ce livre pour les passer avec toi en revue, ce qui te permettra de bien garder en tête tes objectifs de vie afin de les réaliser un jour, tout en te donnant le temps d'y arriver.

En ce qui concerne le corps physique, les cinq éléments essentiels dont il a besoin ont déjà été mentionnés au début de ce livre. Le fait de faire confiance à ton corps à 100 %, de reconnaître qu'il sait exactement ce dont il a besoin, t'enlèvera une corvée chaque jour. Tu t'apercevras qu'après plusieurs semaines de pratique à te demander : *J'ai envie de manger quoi ?* ça deviendra plus facile et rapide d'écouter tes besoins. Je souhaite surtout que tu apprécis toujours plus l'intelligence de ton corps qui sait exactement ce dont il a besoin à chaque instant. Dans les besoins essentiels du corps physique se retrouvent la respiration et l'activité physique, qui ont été traités au chapitre précédent. Un dernier besoin essentiel du corps physique est le repos incluant le sommeil. En réalité, ce dernier s'avère également essentiel pour les corps émotionnel et mental.

La plus grande excuse au manque de repos est habituellement le temps. Cette excuse est vraiment bête et sans consistance car, une fois reposé, on effectue deux fois plus de travail, et ce, de façon plus efficace, dans un même temps donné. Tu n'as qu'à en faire l'expérience pour vérifier la véracité de ce que je viens d'énoncer. Voici une sage décision que tu pourrais adopter dès aujourd'hui : te reposer, en plus de t'amuser de la façon qui te plaît et qui te convient. Le temps n'est pas quelque chose que l'on possède mais une énergie mise à la disposition de tout le monde et que l'on peut adapter selon nos priorités du moment. **Si tu ne consacres pas de temps à t'occuper de ta santé sur le moment, tu devras en prendre plus tard pour t'occuper de tes maladies.** Alors que choisis-tu ? À titre indicatif, un petit quinze à trente minutes de délassement suffit très souvent à nous donner un bon souffle d'énergie.

Pour ce qui a trait au sommeil, ton corps a des besoins différents selon tes activités de la journée. Après avoir essayé plusieurs moyens, voici celui que j'ai découvert et qui m'a beaucoup servi depuis de nombreuses années. Le soir, je revois mentalement ce que j'ai planifié pour la journée suivante et je demande à mon corps de me laisser savoir à quel moment je dois aller au lit.

Aussitôt que je sens mes paupières devenir lourdes, voilà le signal. Cependant, souviens-toi que, si tu n'écoutes pas le signal de ton corps, celui-ci cessera peu à peu de te l'envoyer et tu perdras rapidement la faculté de comprendre son message, comme lorsqu'il s'agit d'écouter ton corps quand il te signale qu'il est temps d'arrêter de manger.

Pour ce qui est du corps émotionnel, ce dernier a été créé pour sentir, vibrer, s'émouvoir et désirer mener une vie de bonheur dans la joie, la beauté et la paix intérieure. En résumé, il veut se sentir bien, heureux, au lieu de se sentir stressé et éprouver plein d'émotions et s'apitoyer sur son sort. Afin de t'éclairer, voici plusieurs causes de stress : être trop perfectionniste ; se croire responsable du bonheur des autres (donc se sentir coupable lorsqu'ils ne sont pas heureux) ; dramatiser les événements ; vouloir tout contrôler ; croire que pour avoir du succès il faut travailler dur et ne pas prendre le temps de s'amuser ou se détendre régulièrement ; s'identifier à ce qu'on fait ou à ce qu'on possède (ex : je suis un raté parce que j'ai fait faillite) ; vouloir répondre aux attentes des autres ; être très exigeant envers soi-même ; avoir peur d'être égoïste ; se contrôler sans cesse pour éviter de grossir…

Ton corps émotionnel demande donc que tu comptes tous tes bonheurs chaque jour, que tu te remercies ainsi que les autres et que tu rendes grâce à la Vie pour tout ce que cette journée t'a apporté. Que tu te fasses des compliments plutôt que de te critiquer.

Il a aussi besoin d'avoir des buts, d'aspirer à quelque chose, et ce, de façon quotidienne. Quand tu as hâte de te lever le matin et que tu envisages de faire quelque chose d'intéressant, c'est une indication que ton corps émotionnel est heureux. Le corps produit sans cesse de l'énergie et celle-ci doit être utilisée par une activité qui t'anime. Le meilleur exemple est celui d'un enfant qui s'ennuie, se plaint, qui est de mauvaise humeur. Trouve-lui une activité intéressante et qu'il aime et tu le verras s'animer instantanément.

Ton corps mental, quant à lui, a besoin de se nourrir de connaissances supplémentaires pour stimuler le cerveau, de vivre de nouvelles expériences pour apprendre et demeurer en éveil. C'est lui qui t'aide à penser, analyser, organiser et qui entretient ta mémoire. Il a besoin d'entretenir des pensées bénéfiques et de vivre dans le présent.

Si, au contraire, tu ne veux rien apprendre de nouveau, tu deviens alors une personne routinière, d'habitude et, peu à peu, ce sont tes croyances qui dirigent ta vie. Tu vis surtout dans le passé, ce qui finit par te paralyser plutôt que de t'aider à améliorer ton moment présent.

Trouve le moyen qui te convient pour acquérir de nouvelles connaissances qui vont alimenter ton corps mental, que ce soit à travers la lecture ou différents ateliers, la télévision ou Internet... ou tout simplement prendre le temps de bien écouter les gens autour de toi. À la fin de la journée, le fait de dire merci pour ce que tu as appris de nouveau aujourd'hui va t'aider à être conscient que tu as bien nourri ton corps mental. Cependant, ces nouvelles connaissances doivent être utilisées pour t'aider à être ce que tu veux être ou devenir. Si elles ne sont pas utilisées, elles seront vite oubliées.

Méditation

Dans la même optique, un autre moyen qui s'avère excellent pour te connecter à toi-même et découvrir tes besoins est la méditation. C'est une excellente habitude à prendre sans perdre de temps. Toutes les grandes traditions spirituelles en parlent depuis le début des temps.

Depuis une vingtaine d'années, de plus en plus de chercheurs ont fait d'intéressantes constatations scientifiques. En effet, ils ont prouvé que les rythmes cérébraux changent considérablement chez les gens qui méditent depuis plusieurs années. Sur les tracés, ils ont constaté que les différentes régions du cerveau oscillent en harmonie, se synchronisent lorsque ces gens sont en état méditatif. Plus les gens méditent souvent et plus il semble y avoir un effet d'accumulation de cette harmonie. Les effets de la méditation se prolongent de plus en plus longtemps entre chaque méditation.

Certains chercheurs ont même constaté que les régions du cerveau associées à la joie et à un esprit positif étaient beaucoup plus actives. On sait aussi depuis longtemps que les gens qui méditent régulièrement ont un système immunitaire largement plus actif que les gens qui ne méditent pas.

Pour ma part, j'ai commencé à méditer il y a près de trente ans et j'ai constaté plusieurs bienfaits. En l'occurrence, ça m'a beaucoup aidée à développer ma concentration, à être capable de travailler efficacement malgré certains bruits environnants, entre autres ceux des adolescents à la maison. Le plus grand bienfait que j'ai pu constater est la réduction de l'angoisse et de l'anxiété qui m'habitaient certains jours, surtout dans les premières années où j'ai débuté mon école Écoute Ton Corps. Je remarque aussi que dans les heures qui suivent une méditation surgissent souvent de bonnes inspirations spontanées ainsi que des réponses à mes questions.

On me demande souvent : *Comment savoir quel genre de méditation je dois faire, il y a tellement de manières de méditer proposées ?* J'ai envie de te répondre : *Pourquoi ne pas en expérimenter au moins quelques-unes et découvrir celle qui te convient le mieux ?* Il y a par ailleurs des renseignements à ce sujet sur Internet, dans les livres ainsi qu'à travers certains ateliers. J'en ai essayé plusieurs dans les premières années et ma méditation préférée est celle de l'observation dont je te fais part.

Quand méditer ? L'idéal, c'est au lever du soleil. Si ce moment ne te semble pas propice, médite à une période qui te convient mieux. Mais souviens-toi que, plus la journée avance, plus tes pensées s'agitent en toi, t'occasionnant ainsi plus de difficultés à demeurer observateur. Par ailleurs, il est suggéré de ne pas méditer après le repas du soir, mais plutôt de se relaxer.

COMMENT méditer ? Tu t'assois sur une chaise, de la façon la plus droite possible, les pieds bien à plat au sol. Cette position, en fait, ne correspond pas à celle d'une détente où tu peux t'allonger. Puis tu fermes les yeux et tu places tes mains sur tes genoux. Après trois longues respirations, tu respires normalement – comme indiqué plus tôt dans ce livre –, tu gardes ton attention sur ta respiration, tout en tentant de percevoir que l'air qui entre en toi t'apporte de la paix, du calme et de la santé et que ton expiration t'aide à te libérer du stress et des toxines qui t'habitent.

OÙ ? Il est recommandé de se créer un coin personnel de méditation, un endroit qui favorise le calme. Tu peux placer une image qui t'inspire, allumer une bougie qui apaise l'atmosphère. De plus, un peu de musique inspirante peut t'apporter un soutien supplémentaire, celle-ci t'aidant à moins penser.

COMBIEN DE TEMPS ? Si tu n'es pas habitué, tu peux commencer par dix ou quinze minutes par jour, augmentant jusqu'à trente minutes ou une heure si tu te sens à l'aise. Considère ce temps comme étant précieux, du temps seulement pour toi ; c'est l'occasion d'être seul, en communion avec toi-même.

Le commentaire que j'entends le plus régulièrement est : *Je me suis souvent mis à méditer, mais je ne parviens toutefois pas à cesser de penser*. Ne t'en fais pas, c'est tout à fait normal. Il y a très peu de gens qui parviennent à passer plus de dix minutes sans penser. Donc, ne t'attends pas à ce que tu puisses y arriver les premiers jours. Tu peux même commencer par cinq minutes par jour, en augmentant graduellement la durée au cours des semaines. En fait, nous avons tous un long chemin à parcourir avant d'arriver à la maîtrise de la méditation des grands moines tibétains.

Méditer, c'est observer tes pensées, tes ressentis. Aussitôt qu'une pensée parvient à ta conscience, telle : *Il ne faut pas que j'oublie d'appeler le dentiste pour annuler mon rendez-vous aujourd'hui*, tu l'observes en prononçant le mot PENSÉE et tu la laisses passer en sachant que tu peux y revenir après ta méditation. Tu agis ainsi avec n'importe quelle pensée ou tout sentiment qui surgit. Si tu éprouves soudainement de la tristesse, en pensant à une personne avec qui tu t'es disputé, tu l'observes et prononces SENSATION et tu la

laisses passer. Ça peut être PEUR, CULPABILITÉ, COLÈRE...
Tu ne dis qu'un mot pour désigner ce qui vient de sur-
gir et lui permettre de passer. Tu observes de la même
façon les sensations physiques qui apparaissent dans
ton corps, comme un GRATTEMENT, une DOULEUR, une
CHALEUR, etc. Avec de la pratique et de la persévérance, je peux t'assurer que la méditation devient plus
facile et plus agréable.

Pour bien différencier ce qu'est « penser » et « observer », j'aime bien utiliser l'exemple suivant. Imagine
que tu es assis au bord d'une rivière et que tu vois flot-
ter sur l'eau plein de débris, des morceaux de bois,
déchets... Si tu observes simplement, tu constates ce
que tu vois et tu les regardes passer. Il n'y a aucune
activité mentale. Mais si tu penses, tu commences à
analyser et à te poser des questions telles que : *D'où
peuvent bien provenir tous ces déchets ? Quels sont
les inconscients qui polluent cette belle rivière ?*

Par la suite, tu peux toujours réfléchir à certains
aspects qui ont surgi lors de la méditation. Mais pendant que tu médites, tu dois observer le plus possible.
C'est ce phénomène – l'état d'observation – qui produit des conséquences si bénéfiques, bien souvent
davantage que le sommeil.

Te respecter et t'aimer

Comme tu as pu le constater, tous les moyens indi-
qués dans ce livre ont pour but de t'aider à te connaître
et à t'aimer davantage. Plus tu les mettras en pratique,
plus il te sera facile d'écouter les besoins de ton corps.
Celui-ci, se sentant aimé et respecté, te le rendra au

centuple en faisant équipe avec toi. S'il arrive que tu doives solliciter ton corps pour disposer d'un surplus d'énergie ou d'endurance, il se fera un plaisir de coopérer, en sachant combien tu l'aides en retour. De plus, tu te rendras compte combien ton alimentation change, se transforme ; car tu t'aimeras tellement que tu éprouveras désormais de la peine à donner n'importe quoi à ton corps.

Je sais que la plupart d'entre nous sommes trop exigeants, intransigeants même, et que nous avons de ce fait du mal à nous accepter. Nous ne sommes jamais assez parfaits. Nous croyons que faire notre possible n'est jamais assez, que c'est loin d'être suffisant. Concernant le perfectionniste, soit il s'épuise pour tenter de tout faire parfaitement et atteindre ses objectifs, soit il est tétanisé. Il peut même aller jusqu'à ne plus rien faire par peur de l'échec. *Si je ne fais rien, je suis sûr de ne pas me tromper*, se dit-il. Si tu te reconnais parmi ce type de personnes, la phrase suivante peut t'aider à accepter tes limites. *Je fais toujours mon possible et j'accepte qu'il est impossible de tout faire à la perfection.*

Une grande cause de stress est le fait de se croire responsable du bonheur des autres. C'est tout à fait humain d'être triste, quand arrive un malheur à une personne aimée. Mais ce n'est cependant pas bénéfique de se stresser, de se détruire face à une situation que nous ne pouvons changer, surtout quand celle-ci appartient à quelqu'un d'autre. Un jour, j'ai lu la phrase suivante, laquelle aide à réaliser que chacun est responsable de ses décisions : *Le malheur ne tombe pas toujours sur le même pauvre monde, il n'y a que des gens qui trouvent ce qu'ils cherchent.* En effet, il y a des gens qui, malgré toute l'aide que tu as pu leur accorder, et toutes les émotions que tu as éprouvées devant leur situation, continuent sans cesse à s'attirer des malheurs.

Ces pauvres gens croient – inconsciemment – que c'est le seul moyen de recevoir de l'attention. Et toi, pendant ce temps ? Tu crois leur donner de l'amour, quand en réalité ce n'est pas le cas. Lorsque tu insistes pour modifier la vie d'une autre personne, en général c'est pour être aimé en retour et être reconnu. Cela indique donc que tu ne t'aimes pas assez et que tu ne reconnais pas la personne spéciale que tu es. Tu as besoin d'être aimé des autres pour arriver à t'aimer.

Il sera beaucoup plus utile et ingénieux à l'avenir de te procurer tout l'amour dont tu as besoin, car somme toute, personne ne peut le faire à ta place. T'aimer c'est tout simple. Tu n'as qu'à te donner le droit d'être ce que tu es à chaque instant, sans jugement ou critique de ta part. Quand tu es capable de t'aimer de cette manière, je peux t'assurer que l'aide que tu décideras d'apporter aux autres par la suite sera très différente et davantage appréciée. Tu les aideras en respectant leurs besoins tout en te respectant. Tu ne forceras pas les choses. Tu sauras discerner si cette personne veut véritablement obtenir de l'aide. Cette forme d'aide sera apportée par amour et non par peur de ne pas être aimé et s'avérera d'autant plus énergisante pour toi, plutôt qu'épuisante et nuisible.

Au niveau de l'alimentation, **t'aimer** signifie te donner le droit de ne pas être parfait, de ne pas toujours écouter tes besoins alimentaires. C'est accepter d'être humain avec des limites et des faiblesses. **Te respecter**, c'est prendre le temps de te demander si le choix que tu fais répond à l'un de tes besoins. Aussi, même si tu t'autorises à ne pas toujours faire les actions susceptibles de répondre à un besoin, ça ne signifie pas que ce même comportement durera le reste de tes jours. Tu n'as qu'à te permettre AUJOURD'HUI de ne pas écouter tes besoins, tout en te rappelant que tu veux également arriver à respecter davantage ton corps. Prenons l'exemple d'une fête de famille. Il est possible que tu manges et boives trop. À un certain moment, tu deviens alors conscient que tu n'as pas écouté tes besoins durant cette fête. Mais en te disant que c'est juste pour AUJOURD'HUI, cette attitude ne persistera pas et il sera plus facile de te le permettre. Tu sais d'ailleurs que toi seul assumes les conséquences de tous tes actes.

Te respecter, c'est aussi savoir dire NON à certains aliments ou à certaines personnes. C'est te souvenir que ton corps est une création parfaite pour ton épanouissement dans cette vie. En écoutant ses besoins, peu importe sa grosseur, sa couleur, sa forme, celui-ci sera toujours là pour t'aider. Tu n'as qu'à faire ton possible pour répondre à ses besoins. Traite ton corps avec toute la dignité et l'amour qu'il mérite. Ta façon de l'alimenter n'est que le reflet de la façon dont tu alimentes les besoins de ton âme. Elle t'aide à devenir conscient de ton degré d'amour et de respect pour toi-même.

En connaissance de cause, je te garantis une transformation imminente, que tu remarqueras rapidement dans l'attitude des autres vis-à-vis de toi, quand tu te respectes davantage. En effet, tes proches sentiront que tu deviens une personne respectable, même s'ils n'en sont pas conscients.

Transformation et guérison physique

Je peux t'assurer, de plus, que tu constateras plusieurs transformations physiques au fur et à mesure que tu adopteras de nouveaux comportements visant à écouter tes besoins. Ton corps physique changera de plusieurs façons. Il est aussi fort possible que ton corps se guérisse de nombreux malaises ou maladies.

Depuis vingt-sept ans d'enseignement à l'école d'Écoute Ton Corps, j'ai reçu, de vive voix et par courrier de milliers de personnes, des témoignages à ce sujet. Ton corps physique n'est que le reflet de ce qui se passe aux plans émotionnel et mental. Par conséquent, tes trois corps se transforment en même temps. On ne peut les dissocier.

Je ne suis pas en train d'affirmer que tu ne dois pas soigner ton corps physique lorsqu'il est malade. Tu le soignes avec la médecine de ton choix. Mais si tu décides de soigner tes deux autres corps en modifiant ta façon de penser et de vivre grâce à des comportements différents, tu auras l'agréable surprise de constater que ton corps physique guérit beaucoup plus vite.

Le fait de te prendre en main maintenant, de t'aimer assez pour écouter tes besoins s'avère ainsi le moyen par excellence pour éviter dans le futur de nombreux problèmes physiques. Par exemple, on s'attire souvent des accidents lorsqu'on se sent coupable. C'est un moyen que nous utilisons inconsciemment pour nous punir quand nous nous déclarons coupables. Souviens-toi que chaque fois que tu te contrôles, dans n'importe quel domaine, c'est signe de culpabilité. En te contrôlant moins, tu constateras que ta culpabilité diminue également au même degré. Ne crois-tu pas que tu es une personne assez spéciale pour mériter de vivre une vie plus heureuse, plus harmonieuse ? Il ne tient qu'à toi !

Je t'invite donc fortement à prendre l'habitude de noter sur ton registre journalier tes progrès et tout ce dont tu es fier de toi ce jour-là. Voilà un bon moyen de te manifester de l'amour. N'est-ce pas ainsi plus agréable et plus nourrissant pour ton âme, que de devoir terminer la journée en te culpabilisant et en ne pensant qu'à ce que tu n'aimes pas chez toi ? Ensuite, n'oublie pas de te récompenser dans d'autres domaines que la nourriture. Ainsi, tu rechercheras de moins en moins une récompense alimentaire. Il est toujours préférable de débuter celle-ci d'une façon verbale. Par exemple, te féliciter à haute voix pour ce que tu es et ce que tu as fait aujourd'hui. Ensuite, une toute autre sorte de récompense – celle-ci peut être d'ordre physique – peut t'inciter à prendre ou à répéter une nouvelle bonne habitude.

Merci mon corps pour ce que tu m'as aidé à découvrir aujourd'hui. Je me connais un peu plus chaque jour et je m'accepte ainsi.

Aide-mémoire & Conclusion

Cet aide-mémoire a été rajouté pour ceux qui ont envie d'expérimenter la suggestion citée dans ce livre, à savoir celle de tenir un registre journalier de nourriture, ce dernier permettant une meilleure connaissance de soi, beaucoup plus accélérée et approfondie.

Ce chapitre renferme quatre objectifs précis :

*   Te fournir un modèle du registre de nourriture à tenir quotidiennement. Par ailleurs, il sera plus facile et pratique d'en imprimer plusieurs exemplaires en allant chercher ce modèle sur le site Internet www.lisebourbeau.com dans la rubrique des ressources.

*   Te fournir en supplément le modèle d'une fiche intitulée *AI-JE VRAIMENT FAIM ?* Ce petit rappel visuel peut être placé sur ton frigo ou tes placards, pour t'habituer au début à te poser cette question. (Cette fiche se retrouve aussi sur le même site Internet).

*   Te remémorer comment remplir ce registre à la fin de chaque journée.

- T'aider à te découvrir en vérifiant l'interprétation de ce que tu auras noté sur ton registre.

Rappelle-toi que l'exercice journalier consistant à remplir ce registre doit se faire dans le SEUL BUT de te connaître. Si dans la journée tu penses : *Je ne dois pas manger ce troisième morceau de gâteau, car je vais avoir honte d'écrire cela sur mon registre ce soir*, il serait préférable pour toi de ne pas remplir ce registre car ce comportement représente une attitude de contrôle. Dans le même ordre d'idées, si au moment de le remplir, tu es porté à mentir ou à fausser les données de ce que tu as mangé ou bu, au cas où quelqu'un trouverait cette feuille, ta motivation n'est pas la bonne. C'est une autre forme de contrôle.

Souviens-toi du titre de ce livre : STOP AU CONTRÔLE. Son intention n'est pas de provoquer davantage de contrôle. Tu dois être motivé SEULEMENT pour te connaître, et être heureux de découvrir des aspects inconnus de toi dont tu n'aurais pas été conscient si tu n'avais pas rempli ce registre.

Tu trouveras un exemplaire de ce registre à la fin de ce chapitre.

Comment remplir le registre

Tu débutes par les deux premières colonnes en notant l'heure et ce que tu as mangé et/ou bu, en commençant par le soir pour finir au lever.

Ensuite, tu notes le nombre de verres d'eau que tu as bus durant la journée.

Pour chaque fois où tu as mangé ou bu quelque chose, tu notes dans les colonnes suivantes si tu avais faim ou non.

Si tu avais faim et que tu t'es demandé si tu avais envie de manger et que par la suite tu as écouté ce besoin, tu fais une croix dans la colonne **Mange selon besoin.**

Si tu avais faim et que tu n'as pas écouté ton besoin, tu coches la ou les colonnes suivantes appropriées.

Si tu n'avais pas faim, tu coches la ou les colonnes qui t'ont amené à manger ou à boire sans en avoir besoin.

Dans la colonne LIEN, tu notes tout ce dont tu es en mesure de te souvenir sur ce qui s'est passé dans la journée et qui a pu t'amener à t'alimenter de la sorte.

Si tu t'aperçois que tu oublies souvent de te poser la question *AI-JE VRAIMENT FAIM ?* avant de consommer quelque chose, je te suggère d'apposer la fiche illustrant cette question à divers endroits dans ta cuisine. Il te sera plus facile de remplir ton registre par la suite. Tu sauras ainsi plus rapidement si tu avais faim ou non pour chaque aliment absorbé que tu noteras.

Pour t'aider davantage, voici un rappel sur l'interprétation des différentes motivations.

Tu es motivé par *PRINCIPE* lorsque tu manges ou bois, influencé par ta notion de bien/mal ou de peur. Dans cette catégorie, on retrouve les situations suivantes :

• Peur de gaspiller. Manger ou boire une substance quelconque (liquide ou solide), avant que celle-ci ne se perde ou que la date ne soit périmée. Finir son assiette plutôt que d'en jeter les restes. Terminer même l'assiette des autres. Manger tout ce qu'offre le menu à prix fixe, par exemple le pain, l'entrée et le dessert, parce que ceux-ci sont inclus dans le repas. Choisir l'aliment le moins cher, soit au restaurant ou au marché, même si ce n'est pas celui qu'on désire. Se priver parce que le prix est trop élevé, alors qu'on sait qu'on pourrait se le permettre financièrement ;

- Peur de déplaire. Être incapable de dire non à quelqu'un qui nous offre à manger ou à boire, alors que ce n'est pas notre intention première ;
- Peur d'exprimer qu'on n'aime pas tel aliment après y avoir goûté ;
- Peur du jugement. Faire comme les autres, par crainte de ce qu'ils vont penser ou dire de soi ;
- Peur des conséquences, d'être malade si on ne mange pas. Manger par obligation, sans plaisir, seulement pour nourrir son corps.

Tu es motivé par *HABITUDE* lorsque :
- Tu manges souvent ou toujours la même chose. Par exemple : 2 toasts au beurre de cacahuètes au petit déjeuner, ou 2 croissants trempés dans le café ;
- Tu manges souvent ou toujours à la même heure ;
- Tu agis de la façon apprise depuis l'enfance, comme prendre trois repas par jour, ne jamais sauter le petit déjeuner, etc. ;
- Tu hésites ou refuses d'essayer un nouvel aliment, parce que tu n'y as jamais goûté.

Tu es motivé par *ÉMOTION* lorsque :

- Tu sais que tu n'as pas vraiment faim, mais qu'une impulsion te pousse à manger ou à boire quand même ;

- Tu te demandes *Qu'est-ce que je pourrais bien manger ?* en ignorant quel aliment choisir et en sachant que ce n'est pas par principe ou par habitude ;

- Tu éprouves de la colère, de la frustration, de la peine, que tu te sens seul et que tu manges ou bois à défaut de pouvoir te défouler dans l'immédiat dans ou sur quelque chose.

Tu es motivé par *GOURMANDISE* quand tu es influencé par un ou plusieurs de tes cinq sens :

- Tu manges ou bois parce que ça sent bon ;

- Tu ne peux t'arrêter parce que c'est tellement bon ;

- Tu es attiré par un certain aliment après l'avoir vu, alors que, quelques minutes auparavant, tu n'y avais pas pensé ;

- Tu ne peux t'empêcher de piocher dans les plats qui s'offrent à tes yeux ;

- Tu veux manger la même chose que la personne à côté de toi ;

- Tu es attiré par un aliment après l'avoir touché ou senti – tu aimes sa texture ou son odeur – comme le pop-corn au cinéma ;

- Quand tu te laisses influencer par ce que tu entends, par exemple la description enthousiaste d'un aliment, par un serveur au restaurant ou par quelqu'un d'autre.

Tu es motivé par le besoin de *RÉCOMPENSE* lorsque :

- Tu viens de terminer une tâche dont tu es vraiment fier et, ce faisant, tu es porté à manger ou boire quelque chose, sachant fort bien que ce n'est pas nécessaire à ce moment-là ;

- Tu es allé au-delà de tes limites, tu as travaillé sans relâche, sans prendre un moment de répit, et tu crois que manger va te détendre ;

- Tu te sens frustré parce que personne ne te complimente et, en l'occurrence, tu manges n'importe quoi. (Cette situation peut également se retrouver dans la colonne des émotions.)

Tu es motivé par *PARESSE* lorsque :

- Tu acceptes ce que l'autre décide de cuisiner, plutôt que d'avoir à le préparer toi-même ;

- Tu te retrouves seul et tu choisis un mets qui ne demande aucune préparation ;

- Tu choisis de ne pas manger, plutôt que d'avoir à te préparer quelque chose ;

- Tu t'achètes un plat préparé ou surgelé, à la sortie du travail, en vue du repas suivant.

Je te rappelle qu'il est possible de boire quelque chose pour plusieurs des raisons contenues dans les six motivations précédentes, même s'il n'y est indiqué que le mot « manger ». Au moment où tu te demandes *Qu'est-ce que je pourrais bien boire ?*, il est important de garder en mémoire que c'est de l'eau dont ton corps a besoin. Ainsi, chaque fois que tu bois autre chose, tu dois le noter dans une des six dernières colonnes.

Parallèlement, il se peut que tu aies à cocher plus d'une des six dernières colonnes pour un même aliment, par exemple, manger des bonbons par émotion et par récompense.

Un petit conseil aux perfectionnistes

Il est important de ne pas vous stresser à vouloir remplir ce registre PARFAITEMENT. Il se peut que, à plusieurs reprises, vous vous demandiez dans quelle colonne vous devez cocher vos données. En fait, peu importe si ce n'est pas la case appropriée. L'objectif principal de tenir ce registre est de vous permettre de faire une rétrospective de votre journée et de vous connaître davantage. Sachez que cet objectif est déjà atteint aussitôt que vous prenez le temps de le remplir et que vous gardez votre bonne motivation.

Interprétation des cinq motivations

Maintenant, voici comment interpréter ce résultat.

MANGER PAR PRINCIPE OU HABITUDE signifie que tu te laisses, en général, trop **contrôler ou manipuler par tes croyances** dans ta vie. Ces dernières proviennent principalement de l'éducation et de ce que tu as appris dans ton enfance et ton adolescence. C'est donc le passé qui dirige ta vie. Il y a plusieurs peurs qui t'empêchent d'écouter ton intuition, tes besoins véritables. En conséquence, tu dois sûrement passer à côté de multiples occasions intéressantes. De plus, il est fort probable que tu fasses partie de ceux qui résistent aux nouvelles idées ou suggestions provenant des autres.

Bref, la personne qui ne prend pas le temps de se demander si elle a faim et qui mange par principe ou par habitude est celle qui se laisse diriger par la notion de bien/mal, supposé/pas supposé, correct/non correct. C'est donc son ego qui contrôle son estomac. Ce genre de personne a aussi de la difficulté à se faire plaisir ou à goûter aux plaisirs de la vie, croyant qu'il est mal de le faire tant que ses tâches ne sont pas terminées. Elle peut également croire que le plaisir des autres doit passer avant le sien. C'est souvent le genre de personne à se retrouver dans un magasin et à acheter un article au lieu de celui qu'elle veut vraiment à ce moment-là.

MANGER PAR ÉMOTION signifie que tu vis beaucoup plus d'émotions – consciemment ou non – que tu ne veux bien l'admettre. Tu es du genre à essayer de te couper de ton ressenti. Il se peut que tu éprouves de la colère, de la frustration, de la déception, de la peine ou de la solitude, etc., mais tu essaies le plus possible d'éviter d'aller trop en profondeur – à l'intérieur de toi – et de sentir la douleur associée à ces émotions. C'est un moyen que plusieurs personnes utilisent, croyant ainsi moins souffrir. Il est important de se souvenir que, lorsque tu éprouves des émotions, cela implique que tu as beaucoup d'attentes. Tu t'attends, à tort ou à raison, à ce que les autres te démontrent leur amour ou leur affection, et ce, de la façon qui te convient. Comme personne n'est responsable du bonheur des autres, toutes les fois où tes attentes ne sont pas comblées, tu tentes de remplir ce vide intérieur par une substance quelconque (liquide ou solide). A priori, nous éprouvons souvent des émotions lorsque nous confondons AIMER et PLAIRE.

MANGER PAR GOURMANDISE signifie que tes sens sont insatisfaits psychologiquement et que, généralement, tu te laisses influencer par eux dans ta vie. C'est-à-dire par ce que tu vois, entends et ce que tu ressens chez les autres. En majorité, cela est causé par le fait que tu te sentes responsable du bonheur des autres. Tu dois te sentir souvent obligé de faire quelque chose pour les gens en difficulté. Sache que les personnes qui se croient responsables du bonheur ou du malheur des autres ressentent souvent de la culpabilité, et cette dernière se reflète dans leur façon de s'alimenter, au même degré qu'elles se sentent coupables face aux autres. De plus, il est fort probable que tu aies du mal à laisser ceux que tu aimes décider de leurs choix, surtout ceux avec lesquels tu n'es pas d'accord. **Ton bonheur dépend du bonheur des autres et cela crée un état de manque que tu tentes de combler avec de la nourriture, au lieu d'apprendre à remplir ton cœur en répondant à tes vrais besoins.**

MANGER POUR TE RÉCOMPENSER signifie que tu es le genre de personne à t'en demander beaucoup, souvent au-delà de tes limites. Tu es possiblement de nature perfectionniste et tu attends de faire ou de réaliser quelque chose d'extraordinaire avant de te récompenser. Vraisemblablement, tu t'attends souvent à ce que les autres te reconnaissent, te félicitent ou te fassent des compliments. Comme il n'y a personne sur cette Terre qui possède le mandat d'assurer le bonheur des autres, la plupart d'entre nous éprouvons de la déception, voire même de l'amertume, suite à nos attentes non comblées.

MANGER PAR PARESSE signifie que tu es probablement plus dépendant des autres que tu ne le crois. Lorsque tu es en présence de ceux que tu aimes, tu dois être une personne différente, comparé aux moments où tu es seul. Tu dois agir en conséquence de leurs choix. Cela signifie que tu ne te crois pas assez important. La présence des autres t'apporte ce faux sentiment d'importance. Tu ne crois pas assez en ta valeur personnelle pour prendre le temps d'écouter tes besoins. Il se peut aussi que, lorsqu'une autre personne te prépare quelque chose de bon à manger, tu aies l'impression de recevoir une certaine forme d'amour de ta mère, ce qui te rappelle ce bonheur ou cette lacune.

CONCLUSION

Il t'est suggéré de faire un bilan à la fin de chaque semaine pour que tu te fasses une meilleure idée de ce qui se passe dans ta vie. Au bout d'une semaine, tu seras plus conscient de ce qui influence davantage ta vie pour le moment, en voyant ce qui t'incite le plus à manger lorsque tu n'écoutes pas tes besoins. Pour plus de détails, tu peux relire le chapitre IV.

UN DERNIER RAPPEL… Quand tu te rends compte que tu n'as pas beaucoup écouté tes besoins en remplissant ce registre, fais attention à ne pas te culpabiliser. L'objectif principal de cet exercice est de te connaître et de te donner le droit de ne pas toujours agir selon tes besoins ou préférences, et non de rajouter un stress supplémentaire dans ta vie.

Je souhaite de tout cœur que ta décision de remplir un registre journalier pour une période d'au moins trois mois se révèle très bénéfique pour toi et que, en apprenant à t'aimer davantage, tu découvres la personne merveilleuse que tu es. Rappelle-toi le triangle de l'amour. **Plus tu t'aimes, plus tu reçois d'amour des autres et plus il t'est facile d'en donner aux autres.**

Il est possible que tu aies lu ce livre d'un seul trait, sans tenir compte des suggestions proposées. Le sujet de la nourriture touche plusieurs fibres en nous, puisqu'il est à la fois un phénomène social et individuel. Aussi, je reconnais que cet ouvrage peut parfois déranger certaines croyances et certaines habitudes. Cependant, si tu as ce livre entre les mains, tu es le candidat par excellence pour entamer une telle démarche personnelle… Donc je te propose de relire ce livre et de mettre en pratique les conseils suggérés.

LISE BOURBEAU

LES 5 BLESSURES
QUI EMPÊCHENT D'ÊTRE
SOI-MÊME

*Ce livre
a changé la vie de
700 000 lecteurs !*

Lise BOURBEAU
LES 5 BLESSURES QUI EMPÊCHENT D'ÊTRE SOI-MÊME

Le rejet, l'abandon, l'humiliation, la trahison et l'injustice : cinq blessures fondamentales à l'origine de nos maux, qu'ils soient physiques, émotionnels ou mentaux.

Lise Bourbeau, grâce à une description très détaillée de ces blessures, nous mène vers la voie de la guérison. Car de la compréhension de ces mécanismes dépend le véritable épanouissement, celui qui nous conduit à être enfin nous-même. Un guide simple et pratique pour transformer tous nos petits problèmes quotidiens en tremplin pour grandir.

Retrouvez toute l'actualité de Pocket sur :
www.pocket.fr

POCKET N° 16672

LISE BOURBEAU

LA PUISSANCE DE L'ACCEPTATION

*Se réconcilier avec l'autre,
se pardonner soi-même*

POCKET

*Accepter ne veut
pas dire
se soumettre !*

Lise BOURBEAU
LA PUISSANCE DE L'ACCEPTATION

Ce livre révèle le cœur de l'enseignement de Lise Bourbeau : la clef du bonheur est de pratiquer l'acceptation de ce que nous sommes. Cessons de nous blâmer ou de critiquer les autres, mais apprenons à nous écouter. Grâce à Lise Bourbeau vous saurez comment faire la différence entre accepter, se soumettre et comprendre. Vous découvrirez le sens de l'amour véritable – que nous confondons trop souvent avec le dévouement, la pitié ou la passion.

Ce livre unique vous épaulera tout au long de votre vie.

ÉCOUTE TON CORPS

Fondé par Lise Bourbeau, Écoute Ton Corps est à la fois un centre de relation d'aide, un centre de développement personnel et une école de vie qui a pour but de faire croître le bien-être et l'équilibre des gens.

Atelier ÊTRE BIEN

L'enseignement dynamique et concret de l'atelier ÊTRE BIEN intéressera tous ceux qui veulent améliorer leur qualité de vie. Unique en son genre, il offre une base solide pour vous diriger vers ce que vous voulez véritablement.

Jour 1 — ÊTRE BIEN avec soi

Venez déterminer quels sont vos besoins actuels et comment les satisfaire pour améliorer votre bien-être. Vous explorerez plusieurs moyens concrets, étape par étape, incluant l'étape importante de découvrir à quel degré vous vous aimez réellement.

Vous apprendrez notamment à…

- identifier les peurs et les croyances qui bloquent la réalisation de vos désirs ;
- découvrir ce qui vous empêche d'être comme vous le souhaitez ;
- gérer l'insatisfaction et à atteindre la sérénité ;
- utiliser des outils simples et nécessaires pour être bien avec vous-même.

Osez faire le premier pas et venez apprendre à être aussi bien que vous le désirez !

Jour 2 — ÊTRE BIEN avec les autres

Venez découvrir pourquoi vos relations et les situations que vous vivez ne sont pas toujours comme vous le souhaitez. Expérimentez ensuite, étape par étape, ce qui est concrètement possible pour établir de bonnes relations et atteindre le bien-être.

Vous apprendrez notamment…

- la vraie notion de responsabilité qui vous libèrera du sentiment de culpabilité ;
- l'importance de savoir s'engager et se désengager ;
- à identifier la source des émotions qui nuisent à vos relations et comment les gérer ;
- deux méthodes éprouvées pour améliorer vos relations.

Utilisez les relations difficiles comme tremplin vers un mieux-être intérieur !

Consultez notre site pour tous les détails et dates des ateliers à venir :
www.ecoutetoncorps.com

La photocomposition de cet ouvrage
a été réalisée par
GRAPHIC HAINAUT
30, rue Pierre Mathieu
59410 Anzin

Imprimé en France par CPI
en mai 2021
N° d'impression : 3043478

Pocket – 92 avenue de France, 75013 PARIS

S29502/04